D1224463

Colección de Erótica dirigida
por Luis G. Berlanga

Libros de Eduardo Mendicutti en Tusquets Editores

ANDANZAS
El palomo cojo
Los novios búlgaros
Fuego de marzo
Yo no tengo la culpa de haber nacido tan sexy
El beso del cosaco
El ángel descuidado

LA SONRISA VERTICAL
Siete contra Georgia

FÁBULA
Una mala noche la tiene cualquiera
Tiempos mejores
Fuego de marzo
El palomo cojo
Última conversación
Yo no tengo la culpa de haber nacido tan sexy

Eduardo Mendicutti

Siete contra Georgia

TUSQUETS EDITORES

1.ª edición: abril 1987
2.ª edición: octubre 1990
3.ª edición: marzo 2003

Diseño de la colección: Clotet-Tusquets
Diseño de la cubierta: BM

Tusquets Editores, S.A. - Cesare Cantù, 8 - 08023 Barcelona
www.tusquets-editores.es
ISBN: 84-7223-357-X
Depósito legal: B. 14.609-2003
Impreso sobre papel Offset-F Crudo de Papelera del Leizarán, S.A.
Impresión: A&M Gràfic, S.L.
Encuadernación: Reinbook, S.L.
Impreso en España

Indice

P. 13 Donde la Boccaccio presenta a un grupo de descarriadas y reivindica el derecho de cada cual a darse gusto por donde pueda.

P. 25 1. Donde la Balcones se esfuerza, a pesar de sus muchas heridas y disquisiciones, por convencer a los incrédulos de las propiedades afrodisíacas de una barra de pan.

P. 53 2. Donde Betty la Miel se queja del vicio de la Balcones y reivindica las delicias del amor, demostrando de paso que la policía sirve para algo más que para perseguir maricuelas.

P. 77 3. Donde Colet la Cocó, ejecutiva muy viajada y muchilingüe, advierte contra los estorbos y estragos del idioma y esgrime un sabroso ejemplo para ilustrar su teoría de que el jolgorio no necesita palabras.

P. 103 4. Donde Finita Languedoc, también conocida como la Lujos, hace un elogio melancólico y elegantísimo de la madurez y del esplendor de los buenos tiempos, y consiente en revelar su secreto más querido por tratarse de una narración oral.

P. 121 5. Donde la Madelón, de cuya adicción a la soldadesca habla muy claro su alias, advierte, sin embargo, que ella come de todo aunque se decida, al final, por una bonita versión de las maniobras conjuntas hispano-portuguesas.

P. 147 6. Donde Pamela Caniches, llamada también Trabuca Grande por sus patinazos a la hora de llamar a las cosas por su nombre, hace un alarde de sinceridad y confiesa la verdadera materia de sus sueños.

P. 169 7. Donde Verónica Cuchillos, teóricamente experta en el arte de Talía, improvisa un monólogo dramático para aviso de impacientes y bochorno de inquisidores.

P. 183 Colofón. Donde la Boccaccio explica cómo se le quedó el ánimo después de tanto uso, y cómo vibra ahora por el deber cumplido.

A la policía del estado de Georgia

A mis amigos, con la esperanza de
que se lo tomen con sentido del humor

Donde la Boccaccio presenta a un grupo de descarriadas y reivindica el derecho de cada cual a darse gusto por donde pueda

El putón desorejado de la Mercurio me dijo, completamente frenética, guapa prepárate que hay novedades. Yo le dije guapa lo será tu padre, hija de puta. Y él me dijo muérete, maricón.

Como se puede ver, una charla la mar de intelectual.

Por supuesto, eso fue sólo el prólogo. Después habría de venir la exposición, el nudo y el desenlace, como está mandado.

—Ha llamado la Balcones —me dijo la Mercurio—. Ya sabes cómo le chirría la voz. Qué dentera, nena; todavía me dura el repeluco. La degenerada me ha dejado grabado un mensaje sensacional: está en su casa, escayoladísima, inmovilizada, histérica perdida, la meseta tibial de la pierna izquierda completamente desbaratada, con el yeso desde las uñitas de los pies hasta el mismísimo marisco, y dice que si las amigas no van a verla inmediatamente a ella le entran las siete cosas.

Eso era todo, figúrense. Por supuesto, reconozco que la Mercurio está acostumbradísima a descifrar la trastienda de los mensajes medio telegráficos, después de todo es su oficio y alguna habilidad había de tener. Por eso —por el tono de voz, por la ansiedad, por el atropello con que lo dijo todo la Balcones— me aseguró que aquello prometía.

—Chocho, te lo dice la Mercurio. Esto promete.

La Mercurio, para que ustedes se vayan aclarando, es el contestador automático del número 272 34 47. Me imagino que ya se habrán dado cuenta de lo maricona que es. Maricona de vicio, además. Ella dice que es por contagio, como si eso fuera la escarlatina. Miren, quiero que sepan una cosa, en confianza: su verdadero problema es que tiene la vulva hecha puré porque se sabe una antigua y una concisa, una rancia, una esquemática, y eso le viene de nacimiento y a mí no me lo perdona, como si yo tuviera la culpa de algo.

Yo soy la inocencia personificada. De verdad. Bueno, en realidad soy un magnetófono, pero eso me parece a mí que no tiene nada que ver. Faltaría más. Soy inocente. Soy un magnetófono sobrio, sólido y equilibrado, pero con una desgracia de fabricación: las pilas me las meten por detrás. Por eso el putón desorejado de la Mercurio me llama la Boccaccio.

Sin pruebas. Quiero decir que la muy zorra no tiene pruebas de que a servidor le patine el embrague. Cierto que cada dos por tres se me escapa la pluma y hablo en femenino, pero eso es cosa del medio ambiente. A la Mercurio nunca le he dado pie para que ella piense lo que da por hecho; antes me la corto. Ella dice que se me nota una cosa mala el gusto que me da cuando me meten las pilas. No voy a decir ni que sí ni que no, pero, en cualquier caso, eso sería lógico y natural, una reacción comprensible del organismo, un reflejo nervioso estratégicamente localizado, una servidumbre normal de la naturaleza y, si me apuran, hasta una especie de detalle ecológico. Pero mi sicología es completamente viril, pueden creerme, y la Mercurio no tiene derecho a tratarme como me trata.

Soy un magnetófono portátil, a pilas, de estrafalaria marca japonesa y traído de estraperlo desde Tenerife en tiempos de la Chelito, pero he salido fenomenal. Nada de guerra le he dado a mi dueña —que es también la dueña de la Mercurio, como pueden ustedes figurarse—, cuyo nombre de faena es la Madelón y cuyo teléfono, por si a alguien se le ofrece alguna cosa, a ser posible sabrosona y original, arriba queda mencionado. Como también se pueden imaginar —y si no se lo imaginan, ya se lo cuento yo—, soy un elemento imprescindible en el trabajo de mi dueña, artista con muy buen cartel dentro de su género. Soy el espejo de su voz, el reflejo de su alma, el lazarillo de su arte. Sin mí, mi dueña no sería sino un travestón más de los esquinazos de la Castellana.

Y a la Mercurio todo lo que le ocurre es que está celosa como una perra. La Mercurio es sólo un contestador automático, de los primitivos —que me conozco yo unos modelos refinadísimos, que rebobinan, con mando a distancia, que se les puede consultar por teléfono desde cualquier sitio—, prehistórica la tía, y la muy panoli se creerá que es Niní Montián. Recadera de tres al cuarto, contestona de mala muerte, correveidile, pasiva, que es una pasiva, por más que quiera presumir de machaza. A quién pensará engañar... A la Mercurio lo que le gusta es recibir, que no se monte películas. Luego, los mensajes los larga como un papagayo, se le nota muchísimo que al dar no siente nada, frígida que es por delante la muy penca. Pero, cuando recibe, la tía se encharca como Alcoy con la gota fría. Créanme, no saben cómo se le inunda la papaya a la muy cochina, recibiendo.

Suerte que tiene y que no se la merece, digo yo. Porque lo que no entiendo es tantísimo empeño por negarlo. A lo mejor se piensa, la muy babieca, que el gusto de popa es un disfrute de segunda categoría. Paleta que es la pobre, ya les digo.

A mí, cuando me meten las pilas, es como si me cantaran Lucía de Lamermoore.

Ustedes ya van haciéndose una idea, ¿no es cierto? La Mercurio se empacha de recibir, pero carece de paladar. Y es que de ahí nada puede sacarse. Y encima, la muy pretenciosa, trata de demostrarme que ella es para mi dueña, que es la suya, mucho más imprescindible que yo. Delirios.

—Hoy en día —se me atreve a decir—, con el ajetreo y la velocidad de la vida moderna, un contestador automático es mucho más importante que una madre para una artista. Más que una madre y un mánayer juntos.

Y además:

—El contestador automático, nena, es de la generación del vídeo. El magnetófono, de la quinta del cineclú.

Ignorante que es la pobrecita.

Una criada para recoger recados, eso es lo que es. Sin iniciativa. Sin emoción. Pasiva perdida, cualquiera lo comprende. Yo, en cambio, a mi dueña le respondo siempre con su verdad, le devuelvo su arte tal como es y no como ella a lo mejor se lo figura, cuando un número aún lo tiene verde, y le hablo en conciencia con su misma voz, cuando habla, cuando recita, cuando ensaya los chistes, cuando se atreve con alguna canción a espaldas de la esclavitud del pleibac. Nenas, mi dueña se fía de mí, y a la Mercurio sólo la escucha.

Perdonen. Acabo de decirles «nenas», en un traspiés. Bueno, a fin de cuentas es una prueba de confianza, ¿verdad? Fíjense, voy a atreverme a decirles una cosa: en el fondo, desengáñense, todas somos iguales. Ya me contarían ustedes si fueran un magnetofón y les metieran las pilas por detrás.

La Mercurio y yo más de una vez, cuando estamos a buenas, lo hemos comentado. En este asunto, todo es probar y que el cielo te juzgue Lana Turner. Lo que pasa es que a la Mercurio el papel de bujarrón siempre le parece más importante y de ahí tanto empeño en proclamarse machirula. Babiecadas, naturalmente. Mil veces se lo tengo dicho, y no siempre con malos modos. Porque, por supuesto, tampoco se vayan ustedes a creer que la Mercurio y un servidor andamos todo el día a la gresca. Huy, qué va. Condenaditas estamos a entendernos. Qué remedio. Toda una vida la una junto a la otra —y a lo mejor nuestro problema es que no nos decidimos a montarnos un bollo como está mandado—, sobre la mesita del gabinete, solas las dos durante tantas horas al día; en esas condiciones, hasta con una hiena se acaban haciendo migas. Ella

Ella me tiene ojeriza, además de por todo lo dicho, porque yo al menos viajo un poco; a veces, la Madelón me lleva en sus giras, o a las agencias de contratación, con unas casetes monísimas y muy educadas donde mi dueña tiene grabados fragmentos escogidos de sus distintos números, algunos en vivo, con la bulla del público y todo, para causar más impacto. Si la cosa fuera al revés, también servidor le cogería a la Mercurio un poco de tirria, yo lo entiendo.

Como entiendo que ahora esté que echa los dientes, por el trabajo tan divino que servidor hiciera —eso sí, después de trabajar como una burra— en casa de la Balcones.

Y es que a la Balcones había que entretenerla. Mi dueña se hizo cargo en seguida. Cinco recados dejó con la Mercurio, antes de que la Madelón le pudiera devolver el telefonazo. La Mercurio pasó la tarde entera excitadísima y me estuvo diciendo todo el rato esta locaza tiene muchísimo que contar, te lo dice la Mercurio, maricón. Que aquella mujer estaba frenética. Que se le escapaba a chorros la paciencia por la coquina. Que tenía el clítoris despellejado de tanto darle escarmiento. Que se le iba quedando la lengua en carne viva, por el ansia de refrescarse el chochazo a salivazo limpio. Que tenía los nervios de punta como la bragueta de un recluta en la calle de la Ballesta.

Cuando, por fin, la Madelón llegó a casa y la llamó, todo lo que la Balcones consintió en decirle fue:

—Ven. Ven inmediatamente. No puedo seguir así ni un minuto más: tengo que contártelo todo.

Y ya ven lo que son las cosas: si no hubiera sido por mí, la Mercurio se habría quedado sin saber de la misa la media. Para que luego tenga la osadía de compararse ella con la Boccaccio. Un poquito de pudor, por favor. Y a ver si aprende de una vez a ponerse en su sitio.

Porque, ciertamente, las cosas en principio resultaron un poquito confusas, al menos para nosotras. La Madelón volvió a casa a las tantas de la madrugada —era su noche libre en Contramano— y a las nueve de la mañana ya estaba en pie, llamando por teléfono como una posesa. A esas horas, el loquerío de Madrid todavía no ha enchufado los asquerosos contestadores. Las charlas eran bastante escuetas —por lo cual, y por el contenido mismo de la conversación, hasta la más tonta podía comprender que ya habían hablado la tarde anterior, evidentemente mientras mi dueña estaba en casa de la Balcones, y el mensaje final era siempre el mismo:

—No vayas a fallarnos, guapa. Esos yanquis tienen que escucharnos. Nos van a oír. En español, sí hija, en español. Ellas son ricas y se pueden permitir un lujo de traductores. Antiguas, que son unas antiguas. Y ya ves luego lo que pasa. Pobre «Balcones», tú, ni santa Engracia en el martirio. Ya la verás. Una escabechina de mariquita,, qué dolor. Y todo por cuatro niñatos que se han tomado al pie de la letra la homilía del carcamal ése de la Reagan o de la coñofrío que manda en el tribunal supremo o como leches se llame. Pero nos van a oír. Nos tienen que oír, guapa. No nos falles, porque te coso el higo, maricón. Esta tarde, la merienda la pongo yo.

Después, una tarde cada una. Y el magnétofono también corre de mi cuenta.

Eso fue lo que le dijo, casi al pie de la letra y una por una, al grupo de descarriadas cuyos nombres les ofrezco a continuación, por riguroso orden alfabético:

Betty la Miel

Colet la Cocó o la Polaroid

Finita Languedoc, a ratos conocida como la Lujos

Pamela Caniches, llamada a veces, en petit comité, Trabuca Grande y

Verónica Cuchillos.

Con la Balcones y la Madelón, hacen siete.

Y siete días me pasé yo en casa de la Balcones, escuchándolas. Porque, en cuanto acabó de dar las instrucciones y de adecentar un poquito el apartamento, mi dueña echó mano de mí y me dijo:

—A ver cómo te portas, maricón, que ahora te vas a dedicar al terrorismo. Al terrorismo sexual, no te sofoques. Y a ver a cuántas antiguallas yanquis conseguimos que les dé el soponcio.

La Mercurio, como se pueden figurar, no entendía ni jota. Apenas tuve tiempo de explicarle:

—Nena, los mandamases yanquis han dicho que el mamarla y el tomar por el culo va contra la ley, y que hay que castigarlo. A cuenta de eso, a la Balcones por lo visto casi se la cargan. Y estas enloquecidas lo que quieren es tomarse la justicia por su mano.

Ahora está por ver si sirve para algo. De momento, los resultados los tienen ustedes aquí:

siete historias, siete casetes explosivas. Y, para empezar, las siete se las va a mandar mi dueña, como quien manda una bomba por paquete postal certificado, al jefe de la policía del estado de Georgia.

1

Donde la Balcones se esfuerza, a pesar de sus muchas heridas y disquisiciones, por convencer a los incrédulos de las propiedades afrodisíacas de una barra de pan

Señor jefe de la policía del estado de Georgia: póngase cómodo, apriete el culo, colóquese los colgantes de forma que no le molesten y abróchese el cinturón, como decía Bette Davis en aquella película. Soy la Balcones, y suerte que tiene usted de que las reglas del juego me prohiben insultar, porque iba a enterarse, iba a saber lo que la Balcones es capaz de soltar por este piquito de oro, pero tengo que dejarlo, tengo que ceñirme a las normas, y aquí las mariconas de mis amigas me dicen que ya está bien de introducción, que la cinta de la casete corre.

Guapa, aquí es del gremio hasta el magnetófono: le dicen la Boccaccio. Bueno, olvide lo de guapa, estas brujas dicen que la primera en la frente.

Está bien, digo yo que antes de entrar en materia tendré que explicar lo de la Balcones. Igual no se lo cree. Una servidora es arquitecta, con la carrera hecha en nueve años, eso sí, pero con una cosa mala de imaginación y de buen gusto. Ya están éstas haciendo otra vez aspavientos. Que entre a matar, dicen las hijas de puta. Como usted comprenderá, el nombre de guerra se lo debo a ellas: vivo en la mismísima plaza de España, fíjese qué lujos, a ver si se piensa que todas las mariconas son unas muertas de hambre —coño, dejadme que lo adorne un poco—, la plaza de España es el cogollito de Madrid, Madrid es lo último por lo que se refiere a ciudades, eso dicen, y aquí ustedes se pondrían las botas, tendrían la cárcel de bote en bote, locas a patadas hay aquí, algunas de mucha categoría, no te jode, como la que le habla, sin ir más lejos, un apartamento de morirse tiene una servidora en la mismísima plaza de España —huy, está bien, este hombre se tiene que hacer una idea del decorado—, reformadísimo lo tengo, y me refiero al apartamento, el chocho lo tengo irreconocible, para qué vamos a engañarnos, porque además lo sabe todo Madrid, con el gentío que ha pasado por esta casa, y todo Madrid sabe que servidora el chocho lo tiene detrás, pero eso es sólo un accidente geográfico, por mucho que usted y sus secuaces no lo quieran comprender.

Vale, hijas, qué manera de agobiar. Aquí están éstas llamándome al orden. Está bien, procuraré contarlo en cuatro palabras: bajaba yo desde Callao, completamente peatonal, salida como una perra, cuando veo salir de un cine, donde daban una película semiporno, a un pedazo de tío de los que casi no quedan, modelo albañilazo, rubio de pelo pero oscurito de piel, más alto que yo, duro de pecho y empinadito de pezones, cinemascope de espaldas, brazos como alcornoques, manazas de descargador, y qué cachas, nenas, aquellas patorras que no le cabían en el pantalón, y cómo iba, desaforado, emberrechinadito perdido salía el pobre del cine, dándose manotazos en aquella bragueta hinchada como

El País de los domingos, sin poderlo remediar, congoja te daba verlo, clarísimo estaba que todo se le podía salir por cualquier parte en cuanto se descuidara un poco, qué dolor, qué nervios, quiero decir qué nervios los míos, a mí nada más verle se me saltaron las lágrimas, e inmediatamente empecé a rezar como una fanática para que no me diese un desmayo, para no entrar allí mismo en coma profundo, porque yo aquello no me lo podía perder, no me perdonaría nunca si me lo dejaba escapar, estaba a tiro, completamente a tiro, iba dando traspiés de puro cachondo, iba como embotado, como saturado, como embutido, frenético, por las marcas del pantalón se le notaba un pedazo de rabo que daba gritos, era sólo mirarlo e imaginarlo y te entraban unos picores horribles en los ojos y te empezaba el culo a tocar las castañuelas, qué escándalo de capullo, por favor, todo perfectamente dibujado en el pernil, y qué brincos, qué estertores, si es que aquello tenía que ser hasta peligroso, si es que al muchacho podía darle hasta una trombosis, necesitaba descargar, había que ayudarle, tenía que soltarlo todo, tenía que darse cuenta de cómo le estaba mirando yo, y tengo que reconocer que cuando una servidora mira es que mira de verdad, mis miradas pegan bocados, cómo no iba a darse cuenta, pues claro que se dio cuenta, si yo tenía que tener una cara malísima, descompuesta, si es que no daba abasto para tragar saliva, si es que tenía los ojos petrificados, si es que no teníamos más remedio que estar dando un escandalazo en medio de la Gran Vía, el uno frente al otro, desbaratados los dos, él con la mano en el bolsillo, tratando inútilmente de desencabritarse un poco, yo con las bragas empapaditas y las amígdalas abiertas como los brazos de la madre Teresa de Calcuta, que en aquellos momentos también a mí me hubiera cabido en la garganta la población de la India, las pirámides de Egipto, los jardines colgantes de Babilonia, la Alhambra de Granada, el valle de Josafat, las obras completas de Pío Baroja y, sobre todo, el mandado descomunal de aquella criatura, de aquel prodigio de hombre, de aquel machazo a punto de reventar por la soldadura de la polla, si es que estaba que no se podía aguantar, si no se podía resistir, y así me miró como me miró, pobrecito mío, como si se estuviera ahogando, socorro me pedía, hasta lástima me dio, qué manera más bonita de sonreír, como diciendo aquí me tienes para lo que quieras, hijo de puta, nunca te verás en otra, me estaba diciendo con la sonrisa, ahora sí que te puedes aprovechar, es que no puedo ni dar dos pasos por culpa del calenturón, eso estaba diciéndome con la sonrisa, con la mirada, pero el angelito no era capaz de pronunciar palabra, como si temiera soltarlo todo en cuanto hiciera el menor esfuerzo, así que servidora tuvo que coger la iniciativa, de algo tiene que servir el yoga, nenas, mucho control, dominio de la musculatura, dominio de los cartílagos, de las glándulas, mucha flexibilidad, aspirar profundamente, poner la mente en blanco, relentizar la respiración, relajar las tripas, toda una producción de la Metro, pero sin descuidarse, yo no me podía descuidar ni un minuto, no podía permitir que se reblandeciese el clímax, no podía permitir que se reblandeciese nada, naturalmente, tenía que echar mano de todos mis recursos de actriz eximia, que él no se diese cuenta que yo estaba bajo control, que siguiesen saltando chispas entre nosotros, que chorreara morbo el tono de mi voz, que le produjera escalofríos mi manera de pronunciar, todo perfecto, le dije intensamente, esa película te ha puesto como una moto, chiquillo, y él al menos logró mover la cabeza para decirme que sí, y yo le dije tranquilo, relájate un poco, intenta pensar en otra cosa, y a él se le puso por un instante una cara de impotencia que era todo un discurso, y yo le dije entonces, con mucha desenvoltura, me llamo tal —obviamente, le di mi nombre verdadero, mi nombre de bautizo, mi nombre de señor, porque yo iba vestido de caballero de la cabeza a los pies, porque uno es arquitecto y un ciudadano responsable— y en seguida le propuse vamos a entrar aquí y ya verás cómo te distraes, porque estábamos frente a un salón de maquinitas tragaperras y eso atonta al más pintado, pero él entonces movió la cabeza para decir que no, y me dio a entender que las maquinitas se las metiera una servidora donde le cupiesen, y luego respiró hondo, y se sonrió a sí mismo para darse ánimos, se sacó la mano del bolsillo, hizo un par de veces un gesto que quería decir tengamos un poco de calma, me llamo Anselmo, murmuró, tanto gusto, el gusto es mío, o al menos eso era lo que yo estaba procurando, darle gusto como nunca en la vida se lo habría dado nadie, aunque de momento no se lo dije, me limité a pensarlo, me limité a sentirme desfallecer cuando él reconoció esa película me ha puesto como una Yamaha de Sito Pons, colega, bueno, no sé si me dijo una Yamaha o una Honda o qué sé yo, una no está nada puesta en motociclismo, en cualquier caso como una verdadera moto de todas las cilindradas y todos los metros cúbicos posibles se había puesto Anselmo con aquella película, y eso que no era nada del otro mundo, se lamentó, pero es que llevo la tira a pan y agua, siglos sin comerme una rosca, gajes del oficio, ¿sabe usted?, nenas, me encanta que los hombres con la polla dura me hablen de usted, me fascina que el chulo empiece tratándome con un respeto para acabar insultándome como a una perdida mientras se corre, mientras me llena de yogur la palangana, y sentí yo que me daba un vahído cuando me puse a figurarme cómo tendría aquel torazo la despensa, después de tanto ayuno, tan esclavizado el pobre por su oficio, y yo le pregunté ¿qué oficio?, y él me confesó estoy ahí en Villaverde, en la academia de suboficiales de la Guardia Civil, así que yo en aquel instante a punto estuve de tener los siete orgasmos, menos mal que el yoga sirve para algo, nenas, teniendo en cuenta además lo que vino a continuación, que acercó él su boca a mi oreja para susurrarme ahora mismo daba yo los galones por meterla en caliente, qué experiencia, por Dios, de milagro me salvó el yoga de que me cayese redonda, por supuesto me tambaleé, y él me puso la mano en la cintura, y yo no pude evitarlo, no me pude librar de rozarle un poquito la inflamación, que fue exactamente como si tocara la gloria con la punta de los dedos, por todo el cuerpo se me puso la carne de gallina, toda la crema se me quería salir con el sudor, y él dio un respingo, cuidado que la jodemos, y ya por fin me preguntó ¿no tienes un sitio adonde ir?, y yo volví a sentirme de pronto como una reina, rica y poderosa, carísima y distinguidísima como la Costa Azul, y la más hospitalaria del mundo, con una casa fenomenal, a dos pasos de aquí, al final de la Gran Vía, en la mismísima Plaza de España, un ático, todo exterior, con una vista maravillosa, que él seguramente no tendría el menor interés por el panorama, pero hay que vender imagen, nenas, y después de todo el panorama acabó teniendo muchísimo que ver, lo que son las cosas, yo todo el rato temiendo que aquella bendición no me llegase en plenitud de condiciones, porque un paseíto de todas formas sí que había y aquel arcángel tuvo que andárselo medio zambo para no rozarse el hisopo más de la cuenta y no descargar por el camino, que ya con el cosquilleo del ascensor llegué a pensar todo había sido inútil y que allí mismo se me desparramaba, pero por fortuna se pudo distraer con algo, me preguntó ¿qué es lo que pasa en la plaza que hay tanta gente mirando para arriba?, y yo le expliqué un número de fonambulistas al aire libre, ponen un cable de acero desde el suelo hasta la azotea del Edificio España y por ahí sube y baja un tío en una moto, y él no se lo podía creer y yo le dije, tonta de mí, ya lo verás, de modo que cuando entró en la casa se fue derecho al balcón, y yo detrás de él con la mano metida por la raja del culo para entretenérmelo un poco, la tubería estaba ya pegando gritos, qué fatalidad, una loca decía por el altavoz que dentro de un instante iban a empezar, valiente loro, y él todo emocionado, que nunca había visto una cosa de ésas, que era de Badajoz y sólo llevaba tres meses en Madrid, y mis desagües eran ya un verdadero clamor, pero Anselmo estaba ganado por el circo, maldita sea, y es que empezaron a oírse ruidos de motores, nenas, menos mal, velocidad y vértigo, así que el de Badajoz empezó de nuevo a sobarse la bragueta, aquel bulto vibrante en el pantalón, la cabeza de la verga tensa como una reunión en Alianza Popular, qué temblores, qué aceleramiento de la respiración, qué tiritones en el resuello, qué ansiedad al morderse los labios, qué palpitaciones de la nariz, qué peligro, señor jefe de policía, que se me iba, que se me escapaba vivo aquel hombre, que terminaba aliviándose él solito, después de tanta cuaresma, si servidora no andaba lista, mientras el tío de la moto iba subiendo solemnemente por el cable hasta la azotea del Edificio España y todas las ventanas de los edificios cercanos estaban llenas de público, pero, compréndalo, bueno estaba el percal para andarse con miramientos, doble espectáculo, dos atracciones por el precio de una, eros y tanatos como dicen las cultas, riesgo y erotismo, peligro y sexo, programa especial a beneficio de la academia de suboficiales de la Guardia Civil, el tío de la moto en un tris de romperse la crisma y una servidora en cuclillas, delante de aquel prodigio de Badajoz, en aquel balcón tan estrechísimo, hecha un manojo de nervios, bajando la cremallera de aquel pantalón de color añil que a mí de pronto me parecía de color verde benemérita, hurgando entre los faldones de una camisa de cuadros, espantando el manoteo del dueño del material, tirando hacia abajo del calzoncillo como una endemoniada, hasta conseguir que viera la luz aquel milagro de la naturaleza, aquella picha privilegiada, aquella locura, aquel pollazo del color del maíz y del tamaño del brazo de un picapedrero, derecho, limpio, de casco despejado, de tacto levemente áspero, de aroma fino y penetrante como el mejor de los narcóticos, de contextura indomable, de arrogancia gentil, brillante y acerado como un aforismo de Bergamín, sólido como un poema de Rubén Darío, tierno y desafiante como una canción de Brassens, adormecedor como el programa del Festival de Otoño, irresistible, perfecto para las necesidades de mi boca, resistente al oleaje de mi saliva, sobrado de facultades para elevar a los altares a mis labios y a mi lengua, para catapultar a mis amígdalas hasta el séptimo cielo, dichosas ellas, desdichadas aquellas otras a las que sus dueños nunca les dieron la oportunidad, esa felicidad, una gloriosa verga extremeña deslizándose hasta el tabernáculo de la garganta, bañando las encías con los jugos de la anunciación, brillando como el fusil de un gastador contra los labios inflamados, contra las mejillas ardorosas, a la vera de los párpados, cubriéndolo todo con el almíbar transparente que anuncia la gran riada, qué frenesí, qué piernas tan duras, qué nalgas tan apretadas, qué bolas tan jugosas y tan bien surtidas, y qué talento el de una servidora, nenas, que no me pienso desmerecer, que ese hombre nunca olvidará el servicio que le di, con qué cuidado, con qué sabiduría, con qué ritmo, con qué sentido de la progresión, con qué juego de cuello y de cabeza, aun a riesgo de descerebrarme, que ese balcón tiene una baranda de piedra con la que servidora se habría podido desnucar, estaba visto que el riesgo era el menú del día, qué saturación, pero ni por un instante se me pasó por las mientes, ni muchísimo menos por el paladar, el andarme con contenciones, chuparla siempre a tope es mi consigna, sin reparar en gastos, sin tener en cuenta cualquier peligro, sin ninguna clase de melindres, y mucho menos con aquel ejemplar de bandera, aquella carne que sabía a gloria, manjar de dioses, bocato di cardinale, orgullo de Badajoz, cómo la recuerdo, cómo añoro su largura, su grosor, su sabor, su olor, su brillo, cómo me hace falta, cómo podría emputecerme, si alguna vez volviera, cualquier cosa haría yo por conseguir su regreso, hasta movilizar un ejército de funambulistas dispuestos a descrismarse desde la azotea del Edificio España, mientras Anselmo se pone como una moto en el balcón y una servidora, en cuclillas, exponiéndose a desnucarse, le come la polla hasta perder los dientes, hasta que las amígdalas se me derritan, como terrones de azúcar, en la leche más rica que jamás tragué.

¿Comprende ahora, señor jefe de la policía del estado de Georgia, por qué estas amigas mías degeneradas me llaman la Balcones? Impresionado, ¿verdad? Conmigo podría ponerse las botas, desde luego. Sus secuaces, aquí, ya lo han intentado. Así revienten. Aquí me han dejado, en el lecho del dolor, con la pierna escayolada hasta el alma. Así las pollitas se les queden lacias y no tengan nunca quienes se las chupen. Seguro que usted sabe el gusto que da. Hace falta tenerlos cuadrados para decir que una cosa tan rica va contra la ley. Sexo oral, le llaman ustedes, cuando se ponen legalistas; aquí a esto le llamamos mamada.

Oiga, no sea cafre, ¿es que nunca se ha montado en un avión? Absténganse de fumar y no se desabrochen los cinturones hasta que el aparato no se haya parado por completo. El aparato es el aeroplano, más vale aclarar las cosas. Así que no se impaciente, aún queda viaje. Esto fue sólo una escala, por seguir con la comparación aeronáutica. En realidad, ha sido una disquisición. Todo lo que ha escuchado hasta ahora ha sido una especie de prólogo —joder, guapas, menos bulla; a la criatura hay que explicarle las cosas. Reconozco que la cara A me quedó larga. Y acelerada, nenas. Aceleradísima. Si no me explico ni cómo encontré un hueco para respirar... Qué fluidez, por favor. La culpa es de éstas, tanto apurarme. La verdad es que estas historias peripatéticas resultan mucho mejor con un poco de calma. Ahora, en la cara B, me voy a marcar otro ritmo. Y a la que no le guste, tila. Claro que tendré que echar mano del yoga; el yoga igual sirve para un roto que para un descosido, fíjese. Me voy a poner lentísima, ya verá usted como el efecto es muchísimo mejor. Al disfrute de la carne la parsimonia le pone una intensidad especial. Por eso la parsimonia no tiene más remedio que ser buena a la hora de contarlo. A ver si lo consigo. Hay una cosa, mire usted: cuando se mama mucho, se coge una facilidad de palabra de locura. Mire, si está pensando en meterse en política, hágame caso:

mamándola se desarrolla la oratoria una barbaridad. Y ya puede estar atento: si su señora habla por los codos, huélale bien el aliento, porque si no se lo hace a usted se lo hará al alguacil, que seguro que es un mocetón con un vergajo de morirse.

Menos ansias, nenas. Yo, como si acabara de inyectarme valium quinientos. Divina. Totalmente lánguida y glamurosa. Nada de embalarme como antes. La historia que ahora voy a contar necesita una calma y un gusto por los detalles, así que poneos cómodas y haced ejercicios de relajamiento.

Yo tenía un contrato; a la que diga que eso fue un milagro de San Pancracio le salto un ojo. Un contrato superideal, superideal: el hermano de un antiguo amante de una servidora —nadie me ha vuelto a partir el chocho como lo hacía aquel querubín— quería hacerse un chalé en una urbanización medio destartalada de un pueblo maravilloso que se llama Sanlúcar, un pueblo de la provincia de Cádiz, no podéis moriros sin visitarlo. Me llamó. Me dijo que siempre había creído en mi increíble talento para la arquitectura —calma, nenas, no empecéis ya a poneros estrepitosas—, eso fue lo que dijo, con una voz de terciopelo que es marca de familia. Me vino a ver. Guapísimo. Yo le recordaba como un pipiolo, pero se ha desarrollado por todas partes una barbaridad. Naturalmente, me hizo una demostración antes de empezar a hablar de negocios; me preguntó, con un estilazo fenomenal, que si me gustaba que me comiesen el culo, y servidora inmediatamente puso la popa en alto y apoyó en un almohadón la frente, para aguantar los años que hiciera falta. Si alguna de vosotras cree saber lo que es de verdad un beso negro, que lo olvide. A mí aquello, con tanto gusto, se me dilató hasta dejarme ronca, cuando él se dio por satisfecho y me levanté y le di las gracias, noté que tenía afectadas las cuerdas vocales. Un experto, el chiquillo. Ni se me ocurrió invitarle a cenar, tenía una cara de satisfacción que me daba apuro ofrecerle una tortillita francesa.

Me contó detalladamente lo que quería:

—Una casita pequeña, pero muy original. Algo que llame mucho la atención. Mi suegro nos ha regalado allí una parcelita y yo quiero que luzca. Así que echa a volar tu imaginación, que ya sé que te sobra, esmérate con los compases y los cartabones y hazme un presupuesto apañado, ¿eh?

Señor jefe de la policía de Georgia: ¿Se imagina usted cómo tendrá de suavecitos los bajos la señora de mi cliente?

Nenas, ahora deberíamos hacer una pausa, dejar que mi interlocutor se extasíe figurándose las canaletas de esa tía guarra, porque las hay con suerte. Huy, guapas, está bien. Prosigo.

Me tuve que trasladar, no cabía otro remedio. Estaba empezando la primavera y el aire estaba tan limpio y tan fresquito que a una le entraban ganas de convertirse en tórtola, fijaos qué cosa más poética. La luz era de ensueño. Alquilé un chalecito muy cerca del mar, con vistas al Coto de Doñana, en las afueras del pueblo, todo de lo más ecológico, y me salieron unos planos que eran una monería. Nada que ver con esas birrias sin personalidad que se ven por todas partes. Está bien, hijas, al final si hay tiempo, le hago al policía este una descripción somera, pero exacta, de semejante preciosidad. Una casita de capricho.

El contratista que le buscó el suegro era francamente ordinario, no comprendía nada, todo le parecían mariconadas sin el menor sentido, menos mal que enseguida puse mis condiciones y aquel energúmeno dejó de rechistar. Reconozco, desde luego, que mi cliente me defendió como un jabato, porque el suegro y la mujer estaban de parte del contratista, ya sabéis de qué tipo de gente estoy hablando. Descaradas. Los pobrecitos albañiles, por lo menos, se quejaban con gracia:

—Ay, señor arquitecto, que cuando la gente vea esto va a decir que nosotros no sabemos poner un ladrillo derecho...

Entre los albañiles había uno, jovencillo, cazurrón, que me hacía una visita particular todos los viernes para arreglarme el cuerpo. Qué desnudo, hijas. El David de Miguel Angel parecería, a su lado, Emma Penella. De pollita, bien, sin exagerar, pero con un aguante y un temperamento que me volvía loca. Me decía siempre, nada más entrar, después de remojarse los labios con la lengua y de meterme la mano entre los muslos, tirando para arriba, como si quisiera partirme por la mitad:

—Hoy te vas a jartar de tó.

Angelito, lo que es la inocencia. A la tercera vez ya se percató de lo hondita que es una, claro. Pero él me lo seguía diciendo lo mismo.

Ya sé que esto es otra disquisición, pero creo yo que merece la pena. Y no me sigáis dando la matraca con las prisas, que estoy muy débil de los nervios, guapas. Esta puñetera escayola me tiene completamente susceptible.

La debilidad del albañilito —un chavalito de diecisiete años; corruptora de menores, qué alegría— era pedirme que me sentara encima de él, sin consentir en desnudarse, sólo con la porteñuela abierta, el rabito tieso y duro como sólo puede tenerlo un muchacho de esa edad, los huevos también a flote, como codornices en un nido Levi's, era como montarse en el dedo estirado de tu propio ángel de la guarda, una cosa muy morbosa y muy tierna al mismo tiempo, qué carita de felicidad se le ponía a la criatura. No me dejaba quitarme las bragas. El completamente vestido, incluidos los zapatos, y yo completamente desnuda, excepto las braguitas. Siempre pongo en mi equipaje, vaya donde vaya, media docena de braguitas modelo putita de lujo, la mínima expresión, aunque suficientes para poder esconderme bien los dones espúreos de la naturaleza, si la cosa iba de deliberada confusión. Con el albañilito iba de eso.

—No me enseñes el coño que me gusta más figurármelo —me decía.

Prefería tumbarse en la cama, pero encima de la colcha, sin deshacerla. Yo entornaba las contraventanas de forma que la penumbra me ayudase a parecerle la mujer que él quería.

—Tienes cuerpo de gachí ya hecha —susurraba—. Como a mí me gustan.

Y luego, cuando yo ya estaba sentada sobre sus piernas, me pedía, con un hilito de voz:

—Primero ponme ese bulto del coño pegado al rabo. Así. Cómo está de caliente...

Lo restregaba despacito, despacito. Me pedía que se lo acariciara, pero sólo con la palma de la mano, sin agarrárselo del todo. «Tranqui, tía, tranqui», suplicaba. «Ponme un poquito de saliva en el capullo.» Y yo se la ponía con la mano. Como él quería, como a él le gustaba. Despacito. «Ahora voy a ir metiéndotela despacito.» Sin quitarme las bragas. Estirando primero un poco el elástico con los dedos. «Así. No te muevas.» El iba empujando su rabo con la mano libre. «Un poco más de saliva. Anda. Que me hace daño.» Le ardía. «No te muevas.» Yo le pasaba las yemas de los dedos por la vena central del rabo. «Muévete un poquito, una chispita. Echate un poquito para adelante.» Su capullo ya casi dentro de mis bragas, presionado por el elástico del pernil. «Balancéate un poquito. Así. Qué gusto, colega.» Como si estuviera contándoselo a un amigo. Con los ojos medio cerrados. Verdes. Verdes como las esmeraldas. Qué ojos. «Qué gusto. Qué puta. Qué puta más guay.» Qué hermosura de chiquillo. Qué cara. Una preciosidad. «Muévete. Muévete un poco más. Deja que la meta.» Y yo haciéndole un poco de holgura. Levantándome un poquito sobre las rodillas. Sus manos abriéndome el canalillo. «Vieja, qué chocho. Qué gusto. Métetelo. Mételo todo.» Sin consentirlo, sin consentir que me quitase las bragas. «Muévete, anda. Ya está dentro. Muévete. Así. Muévete más. Más. Trágatelo. Más, trágatelo. Hostias. Hostias, qué gusto, colega, qué gusto...» Y yo como un batidora, como una turmix, hasta que la mayonesa me llegaba al cerebelo. Luego, el muy sibarita me pedía que le preparase un baño, con muchas sales, y se dejaba enjabonar durante mucho tiempo, por todas partes, muy despacito, hasta que se le hacía tarde para ir en busca de la novia.

En aquel cajón hay kleenex, nenas.

También usted, señor policía, debería tener un pañito a mano.

Qué cabeza la mía. Ya sé. Ya voy. Todavía me queda cinta.

Porque, señor policía, aún me queda contarle lo del panadero, que es a lo que yo iba desde el principio.

Bueno, el prefacio me lo puedo ahorrar. El escenario es el mismo, ¿sabe usted? Ese chalecito que alquilé en Sanlúcar, con vistas al coto, pero fuera de la urbanización donde se estaba construyendo mi obra, eso sí. Una joya en una chatarrería; eso era el chalet que le hizo una servidora a su excuñado, el forofo del beso negro, un virtuoso, recuérdelo; si alguna vez tiene la suerte de conocerle, no deje pasar la ocasión. Este mundo es un pañuelo. Bueno, fíjese, Rota cae a dos pasos del chalet del de los besos negros; si alguna vez le destinan a un submarino, no deje de darse una vuelta por allí. Con un poco más de suerte, también podría conocer a mi panadero.

Venía en una furgoneta citroen de color vainilla. A diario, desde que le dejé el recado en el chalet de enfrente, porque hace un avío tremendo que te lleven el pan fresquito, quiero decir calentito todavía, recién salido del horno, entre nueve y nueve y media de la mañana. Bueno, entre nueve y nueve y media de la mañana era cuando llegaba él, el panadero, tan vacilón, tan risueño, tan contento siempre, dando los buenos días como si todo lo demás fuera secundario.

—¿Qué va a ser hoy? —preguntaba, todos los días, sin que hubiera ninguna necesidad, porque yo siempre le pedía lo mismo.

Un bollito para desayunar; una barra mediana para el almuerzo y, con lo que sobraba, para hacerme unas tostaditas con las que acompañar el café de la merienda; una viena de quince para la cena. Siempre lo mismo. Pero estaba claro que él no quería tomarse libertades.

Yo, desde que lo vi, estuve loca por que se tomara todas las libertades que pudieran ocurrírsele al cabronazo. A cualquiera de estas despendoladas le habría pasado lo mismo. Sí, nenas. Vosotras que sois tan cinematográficas: ¿Os acordáis de la jeta de Burt Lancaster cuando era mozo? Pues igual, sin tanta onda de peluquería, claro, y con más picardía, con el mohincito más cachondo y más caracolero. Naturalmente, me caló a la primera, ya me esmeré yo para que la copla no se le pasara por alto. Pues menuda es una a la hora de explicarse... Sin palabras, no me hacen falta palabras. Quiero decir palabras específicas. Le saludé, naturalmente, de una manera sencillita, pero con un buen ramalazo de intención; le dije que estaba encantadísimo de que me fuera a traer el pan todos los días —menos los domingos, me advirtió él; los domingos, en toda la provincia no hay pan tierno, los panaderos se cogen libre la noche del sábado—, que era una bendición del cielo el poder recibir el día, sin moverse uno de su casa, con pan tierno, traído por un muchacho joven, guapo, sano y sonriente. Una, discretísima, como pueden ver.

Y que nadie vaya a pensar que el rubiales se pegó un susto. Valiente carita de chufleo se le puso al sangabriel... Por cierto, ¿se nota que me chiflan los rubios? Juraría que usted, señor policía, es un rubio radiante. Como el panadero. De esos rubios que no parecen transparentes, sino de piel mate y agradecida a la luz del sol. De esos rubios que tienen la polla de color caramelo, para entendernos de una vez.

Podéis creerme, nenas: se le puso dura en cuanto le miré el paquete con mala intención. Buen potranco, sí señor. De esos que, a primer golpe de vista, parecen más bajitos de lo que en realidad son. Bien proporcionado, consistente, adicto total a unos vaqueros, siempre relimpios y replanchados, y con los desgastes en los sitios justos: a la izquierda de la bragueta, a lo largo de los músculos de las piernas, por encima de las rodillas, en la curva media del culo.

—¿Piensa quedarse mucho tiempo por aquí?

Tenía la voz suelta y juguetona.

—Cinco o seis meses por lo menos —le dije—. Algo tendré que hacer para distraerme.

Movió despacito la boca para sonreír. Se le salían por la boca los pensamientos. Dijo:

—Ya tendremos tiempo para charlar despacito.

—Para charlar y para lo que quieras —dije yo, y cualquiera se hubiese dado cuenta de que era la frase que él esperaba oír.

Quedamos en que haríamos las cuentas del pan cada sábado, para evitar el engorro de los cambios todos los días.

—Trescientas setenta y dos pesetas —me anunció, después de calcular mentalmente lo que tendría que pagarle al final de la semana—. Si no me pide otra cosa.

Y yo le advertí:

—Vete preparando.

Claro que yo no me podía figurar que él era tan melindroso. Melindroso con sus partes, quiero decir, y es que con esta juventud de hoy una nunca sabe por dónde te van a venir los tiros. Te llevas unas sorpresas rarísimas. El panadero es un ejemplo. Y eso que la Balcones tiene recursos para derretirle las rarezas a cualquiera, pero lo de aquel muchacho no podía caber en la cabeza más retorcida.

Le recibía yo cada mañana hecha un brazo de mar. Los primeros días, en chandal, servidora completamente deportiva y muy suelta, era preciso que aquella criatura comprendiese que bastaría con darme un tirón para que me tuviese totalmente disponible por donde más le gustase. Me duchaba, me frotaba bien con colonia de baño, una lavanda ligerita, nada de sofocarlo al pobre con un perfume arrollador, y procuraba que siempre me picase algo estratégico mientras estaba delante de él. Así casi una semana entera, sin que el niñato hiciera otra cosa que sonreír maliciosamente y rascarse como al desgaire la entrepierna, siempre en el último momento, cuando ya se estaba montando en la furgoneta para continuar con el reparto. Las conversaciones tampoco eran nada del otro mundo: «Hoy he dormido regular — le decía yo—, no tendré más remedio que echarme una buena siesta», y él me decía: «Yo la siesta no la perdono por nada del mundo, no se ha inventado nada mejor que una siesta en cueros vivos», y yo: «Si alguna vez te pilla por aquí, ahí tengo una cama grandísima», y él: «Como un día me deje caer, no respondo de lo que pase», y yo: «A mí en esta vida ya me ha pasado de todo», y él: «Que te lo crees tú». De ahí no pasábamos, y servidora ya estaba poniéndose cardíaca. Así que intenté probar suerte aligerando un poquito el atuendo, y el primer viernes salí a recibirle con unas calzonas de deporte ideales, compradas hace tres temporadas en la butic más chic de Ibiza, nenas, y por encima una camiseta rosa, ancha, de tirantes, cortada justo por debajo de las tetas, ya sabéis que siempre he tenido un estómago monísimo, no como otras —anda, pedorras, que sois unas pedorras—, y él no tuvo más remedio que acusar el impacto.

—Todavía tienes un polvazo, ¿sabes?

Sí, hijas, el «todavía» sobraba, ya lo sé, pero lo dijo con tanta concentración que a mí me sonó definitivamente a piropo. Musité «Gracias» como si acabaran de prenderme en la pechera al lazo de Isabel la Católica. Concentré la mirada en su punto clave. Me rasqué despacito mi lugar estratégico. Pestañeé; pestañeé como si no diera crédito. Hice como que me costaba un trabajo horrible tragar saliva. Y ataqué. Ataqué verbalmente, claro:

—Me muero por preguntarte una cosa.

—Tú dirás.

—Ese tolondronazo que marcas en la bragueta, ¿es todo lo que yo me imagino?

—Todo. Y más.

—Imposible. Más, imposible.

Se echó un poco hacia arriba el pantalón y trató de abarcar con las dos manos, sobre la lona del vaquero, un bulto como para dejaros bizcas de por vida, guapas. Yo el ojo ando metiéndolo continuamente desde entonces.

—No veas —dijo— cuando esto se pone duro.

—Me encantaría verlo.

—Claro. A ver si te crees que no me he dado cuenta.

Al decir la última frase, en un tono distinto, hasta cambiando el ritmo de la conversación, como si hubiese perdido el paso, se echó un poquito a perder el morbo del momento. La charla de pronto saltó de tesitura, espero que comprendáis una comparación tan refinada. Ahora se trataba de ver quién pinchaba mejor.

—Ya veo que no te atreves.

—No me gusta que se me resfríe.

—Seguro. Claro que a lo mejor no es para tanto. En esto, las apariencias engañan una barbaridad.

Sonrió. Metió la mano en la furgoneta. Sacó una barra de pan como las que a mí me vendía todos los días para mi almuerzo. Se agarró el paquetazo con la mano libre.

—El molde para esto lo sacaron de aquí —dijo, y movió en el aire la barra de pan de un modo que yo sentí que el coño se me quejaba.

Procuré que no me temblara la voz:

—Ya será menos.

—Lo que tú digas.

—La prueba es que no la enseñas.

—Está mejor dentro que fuera.

—Huy, me lo temía.

—¿El qué? —preguntó tranquilamente, por nada del mundo se encorajinaba el hijoputa.

—Eso. Que está mejor dentro que fuera. A lo mejor es lo que pasa. Que no la sabes usar.

—No te preocupes. Aprenden solas.

Yo estaba a punto de tener un ataque de nervios. Pero, nenas, de algo tiene que servir el yoga.

—¿Es que ya tienes donde meterla? —le pregunté, haciéndome la desdeñosa—. Aparte del vaquero, claro.

—No.

—No estás casado, ¿verdad?

—No.

—¿Tampoco tienes novia?

—Sí.

—¿Y es que tu novia no tiene chocho? ¿Es que no te la chupa?

—Todavía no —dijo.

En aquel momento, no comprendí bien lo que quería decirme. Servidora estaba descompuesta. Sin reflejos. Una conversación así, un tira y afloja de esa clase, a las nueve y media de la mañana, agota a la más briosa, nenas. Es como si de pronto se te olvidara andar.

El abrió de par en par, con mucha desenvoltura, sin atropellos, el portillón trasero de la furgoneta. Nada de nervios. Eso sí, sonreía. Se sentó en el borde, yo sólo le veía los pies. Me llamó:

—Ven aquí.

Se estaba sobando el paquete.

—Acércate un poco. Te voy a contar un secreto —se agarró con dos dedos el bulto de la polla—. Yo creo que es un poco rarita.

Desde luego, a simple vista aquello no estaba verdaderamente duro. Claro que a mí me daba lo mismo; yo estaba, de todos modos, al borde de la trombosis.

Empezó a acariciarme los muslos. Metió la mano por el pernil del pantalón y buscaba con el dedo índice mi orificio de la felicidad. Unas calzonas de deportes dan siempre bastantes facilidades.

—Lo tienes ardiendo.

—Y tu morcilla sin inmutarse, ¿no? —a mí me daba hasta un poco de coraje.

—No te enfades. Es que ella es así. ¿Sabes?, a lo mejor te parece raro, ya te he dicho que no es muy corriente, pero a mí me parece que hasta tiene su mérito.

—¿El qué? ¿Qué es lo que tiene mérito? Dime. Sigue, así, sigue —yo estaba que me moría con aquel dedo haciéndome pespunte—. Dime. ¿De qué estás hablando?

—Ardiendo. Estás que explotas, mi vida.

—Sigue. Qué vicio, niño. Sigue.

—Qué lástima, ¿no? Es que no quiere, ¿sabes? Te gusta, ¿verdad? Dime que te gusta.

—Me gusta, mi niño. Qué gusto. Me vuelve loca. Me voy a morir. Así. Sigue así. Suavecito. Qué gusto. ¿Qué es lo que no quiere?

—Mi polla no quiere. No quiere.

—¿Por qué? ¿Por qué no quiere?

—Porque es así. Rara. Porque quiere ser sólo de la mujer con la que yo me case.

Tal cual.

Para mear y no echar gota, nenas.

Lo malo es que yo estaba embalada. No podía pensar. Ni siquiera podía reírme. Le tenía agarrado por la muñeca y le pedía entre jadeos que me metiese el brazo hasta el codo. «Mi vida, entero, hasta el codo, hasta el sobaco», y él me pidió «Espera, espera un poco», me aplastó la cara contra el estómago, le ardía, le quemaba la lengua, la saliva, me lamía el ombligo con mucha desesperación, «Hasta que te corras, quiero que te corras, quiero que te llenes de leche», y yo no hacía más que empujarle por la muñeca, por el codo, «Más, por favor, un poco más, un poquito más, por favor», qué manos, como esportones, «Avísame, dime cuando vayas a correrte, avísame», y yo le decía «Sigue, por lo que más quieras, sigue, todo, sigue, hasta dentro, hasta arriba, sigue», y él me dijo, lamiéndome el estómago, bañándomelo de saliva, una saliva cada vez más espesa, caliente, me dijo «Qué lástima, mi vida, qué lástima, espera, no te muevas, no te asustes, ya veras, ya verás qué bien, verás qué gusto, no te muevas, tranquila, aguanta un poco, no te corras, todavía no te corras, ya verás qué gusto con la barra de pan», crujiente, una pistola crujiente, quemadita, suave, «Así, así mi vida, así, es igual, como mi polla, es como si fuera mi polla, así, despacio, con cuidado, que no se rompa, así», trastornada, incrédula, aguantando para no correrme, sintiendo cómo iba entrando poco a poco aquella monstruosidad, agarrada como una moribunda a la muñeca del panadero, aquella manaza que iba empujando lentamente, sabiamente, la pistola de cuarenta y cinco, crujiente, calentita todavía. «Así, mi vida, hasta dentro, hasta el codito, hasta el final del todo, hasta que te corras, dime si te corres, dímelo», sin echar cuenta de nada, como sonámbula, en éxtasis, sin saber ni cuándo ni cómo me quitó las calzonas aquel muchacho, cuándo caí de espaldas sobre los grandes canastos del pan, con las piernas en alto, con aquella criatura mordisqueándome el ombligo, con su mano metiendo y sacando suavemente aquel modelo de barra que era exactamente como su polla, igual, copiada, exacta a aquella polla que sólo quería ser de la mujer con la que el panadero se casase, rarita, antigua, secreta, «Pero tiene su mérito, ¿verdad?», tanto aguante tenía su mérito, tanto control, «lo que yo quiero es que te corras, que tú te corras», me decía, jadeando, gimiendo, aguantándose el gusto como si en ello le fuera la vida, como si le fuera la honra, abrazándose a mi cintura como un chiquillo perdido en una feria, feliz, feliz cuando yo dije «Me corro, me corro, me corro, me corro», feliz por haberme dado tanta felicidad.

Cada viernes. Ya termino. Esto se acaba. Todos los viernes lo mismo, y todos los sábados la misma cuenta: cuatrocientas diecisiete pesetas, cuarenta y cinco más de lo previsto, por aquella barra adicional del fin de semana.

2

Donde Betty la Miel se queja del vicio de la Balcones y reivindica las delicias del amor, demostrando de paso que la policía sirve para algo más que para perseguir maricuelas

Señor policía: ¡Jelou! Jelou Doli, qué tierna canción. Quiero que suene todo el rato como música de fondo. Mi compañera la Balcones lo ha soltado todo a palo seco, sin una gracia, pero yo adoro la música. Una canción moderna e internacional, nada de cosas folclóricas, qué ordinariez. La Estreisan cantando en la distancia mientras yo le cuento a usted lo que tengo que contarle.

Yo no es que quiera afearle nada a nadie, Dios me libre, pero cada una es como es y, en mi caso, tengo mis principios y mi escala de valores. Seguro que ustedes, los yanquis, al hacer esa ley tan pesada contra ciertas maneras de disfrutar y desahogarse han pensado en que todo es vicio y mala crianza, pero yo les juro que si fuesen preguntando por ahí encontrarían amor, mucho amor. Eso que ustedes condenan, lo que tan fina y tan educadamente llaman sexo oral y sexo anal, está muchas veces empapado de amor [Voz de la Balcones: «Sí, nena, como una torrija empapada de almíbar»], empapado de emoción y de sentimiento, de ternura, de entrega, de cariño. Usted a lo mejor tiene una idea equivocada, y lo comprendo, las más atrevidas son siempre las que arman más estruendo y con frecuencia dan una imagen que no digo yo que sea mala, porque nadie soy para condenar a mis hermanas, pero sí que distorsiona y disfraza de frivolidad y de vicio toda la verdad que hay dentro de nosotras. [Voz de la Balcones: «Qué espanto, esta mujer parece un predicador».]

No me importa lo que digan; yo sólo quiero que ustedes me comprendan. Que nos comprendan a todas, porque incluso las que parezcan más obsesas y más descarriadas guardan un tesoro de amor y de ternura [voz de la Balcones: «Por supuesto, a mí en el chocho me cabe de todo, hasta las minas del rey Salomón»], muchas lo único que intentan es disimularlo, como si se avergonzaran de ser sensibles y generosas. Para mí, la verdad, son un poco inconscientes, y no comprenden el daño que a todas nos pueden hacer. [Voz de la Balcones: «Huy, la tía, qué fuerte; hoy ha venido de santa Teresita de Lisié, la indígena ésta, no te digo».]

Por favor, yo creo que tengo derecho a que no se me interrumpa [Voz de la Balcones: «Es que guapa, qué pretensiones. Cualquiera diría que eres la purísima, y tienes el chocho como un balneario. Lo que tienes que hacer es dejar en paz a las demás y contarle tu historia a ese señor».]

Es que mi historia se entendería mal si no queda claro que yo todo lo que hice lo hice por amor. Todo. Hasta romper con un maravilloso hombre que me amaba, y dejarlo sumido en la soledad y la desesperación, porque de pronto me di cuenta de que ya no era capaz de responder a su amor con todo el amor que se merecía. Yo soy honesta, señor policía, y me siento orgullosa de ello; nadie podrá acusarme nunca de fingir que le amo, de fingirlo por interés, por conveniencia, por rutina o por compasión.

Así se lo dije, con toda honestidad, a Toshiro. Mi Toshiro era japonés [voz de la Balcones: «Guapa, y lo sigue siendo. El otro día, antes de mi percance, me lo encontré por Recoletos y sigue igual de amarillo y con las pestañas al biés. A ver si te piensas que él, con el disgusto, se convirtió de pronto en un Habsburgo-Lorena»], un hombre encantador, tan delicado, tan exquisito, tan detallista. Pero yo al cabo de seis meses comprendí que no le amaba, y quizás lo comprendí un poco tarde, lo reconozco, porque di tiempo a que él se hiciera demasiadas ilusiones, permití que su entusiasmo llegara a un punto al que jamás debió haber llegado. Con el corazón destrozado, le dije que me iba. [Voz de la Balcones: «Y tu Toshiro, como es muy japonés y muy práctico, te dijo directamente vale, monada, veti a la mielda. Y de ahí tu nombre de guerra, Betty la Miel, reconócelo».]

Infundios. Mi nombre es Bettino, y mi apellido es consecuencia lógica de mi dulzura. Soy doctor, especialista en dermatología, y trabajo en un colectivo de medicina libre y popular en el barrio de El Pilar, a dos pasos de La Vaguada. Por eso, cuando rompí con Toshiro, alquilé un apartamento, pequeño pero francamente coqueto y soleado, en aquella zona, y ésa ha sido mi fortuna.

De Toshiro y de mis relaciones con él no diré nada, porque donde el amor se equivocó la memoria se ceba y a mí eso me parece una felonía. [Voz de la Balcones: «Nena, no sufras, todas sabemos que el japonés tiene una minina ridícula. Pero puedes contar las virguerías que hace con la lengua, que eso también entra en el programa».] Esa historia es ya como un árbol seco, y narrar lances carnales de aquel tiempo, a sabiendas de que el amor no los cobijaba, sería como echar en cara al árbol petrificado el frondoso verdor que no supo defender. [Voz de la Balcones: «Toma castaña».]

Como no te calles, hija de puta, me callo yo. [Voz de la Balcones: «Así me gusta, mujer: temperamento, fuerza, desgarro. Suéltate el moño, nena. Betty la Marchosa. Violencia y sexo. Y te prometo que, de aquí en adelante, no abro el pico».]

De acuerdo, a ver si es verdad. Lo de Toshiro, ya digo, ni nombrarlo. El amor ahora me tiene prisionera y me desbarata. El pasado no existe. El presente se llama Eusebio y le amo. El presente se llama Eusebio Gutiérrez Ríos y vive en el edificio donde vivo yo pero en el portal de al lado, con su hermano, su cuñada y su sobrina Vanesa; el piso es del hermano, naturalmente, mi Eusebio le paga todos los meses veinticinco mil pesetas por el hospedaje y el mantenimiento, a mí me parece una exageración, estoy cansada de decírselo. Pero él me dice siempre que por ahora está bien, que a lo mejor algún día se atreve a mudarse a vivir conmigo para que yo le cuide. Necesita quien le cuide. Necesita quien le proteja. Vivo, por su causa, por el trabajo que tiene, con el alma en vilo. El pasado para mí ya no es peligroso. El presente me consume. El presente se llama Eusebio y es policía, señor policía, igual que usted.

Por mi parte, fue un flechazo, ese amor que se inflama a primera vista y que te obliga inmediatamente a hacer examen de conciencia, a hacer balance de tus defectos y de tus virtudes, a reconocer a botepronto lo que de veras puede esperar de ti el amor. [Voz de la Balcones: «O sea, a echar un cálculo, modelo instantáneo, del saldo de tu cuenta corriente. Ay, perdona, corazón...».] Ya estamos. No entiendo por qué tantas de nosotras se empeñan en negar la existencia y la fuerza del amor. No entiendo qué pueden encontrar de fascinante en el sexo de una sola noche, de un rato, de un desconocido que siempre va de paso. No sé qué pueden encontrar en eso. Disgustos. Percances como el tuyo, Balcones, en el mejor de los casos: esos muchachos que te persiguieron con motos, por esa horrible y malfamada Finca de Papá —un descampado por la Universitaria, a la salida de la autopista de La Coruña, escenario y basílica al aire libre de los mayores desafueros de las mariquitas de toda edad y condición durante las lóbregas noches del franquismo—, obligándote a tirarte por los barrancos para que no te atropellaran, estuvieron a punto de matarte, hubieran podido hacerlo, suerte que se contentaron con dejarte hecha un cristo y con meseta tibial de la pierna izquierda lo que se dice triturada. Y es que el vicio no compensa, amigas mías. El vicio destroza. El vicio arrasa. El amor, en cambio, todo lo redime.

El amor llegó a mi corazón como un jabato hambriento cuando sorprendí a aquel muchacho de cuerpo altivo y movimientos sosegados desnudándose en su habitación. Era verano y él, al entrar en su cuarto y encender la luz, echó una mirada a la fachada de enfrente, por si hubiera indeseables al acecho. Yo estaba al acecho —afortunadamente, con la luz del baño apagada—, pero no soy indeseable en absoluto. No es por presumir ni por vender más tela de la que hay, señor policía, pero me consta, como me consta que la flor del almendro anuncia la primavera, que yo despierto pasiones, y mi trabajo me cuesta no alimentarlas ni aprovecharme de ellas. Así es, amigas mías, aunque pongáis cara de haberos quedado mudas de la impresión. [Voz de la Balcones: «Mudas y almidonadas».]

Prosigo. No tomaré en cuenta esta última interrupción porque, en cierto modo, yo la provoqué. Mea culpa [Voz de la Balcones: «Huy, hija, que la mee tu novio»]. Mea culpa, de nuevo. Iba diciendo que él miró la fachada de enfrente para asegurarse que no sería indiscreto, y ya eso me emocionó, porque el piso de su hermano es interior, todas las habitaciones dan al patio y desde mi baño podría, si quisiera, retratar toda la intimidad de esa familia, toda, porque el matrimonio no es precisamente un dechado de pudor, y la pequeña Vanesa aún no tiene edad para apreciar el pudor en lo que se merece. Por eso aquella precaución de un muchacho tan hermoso, a quien nadie con un mínimo de sensibilidad le hubiera reprochado el exhibir lo que la madre naturaleza tuvo a bien obsequiarle, pudo conmoverme. Qué diferencia con la obscena desfachatez de su hermano y su cuñada. El hermano de Eusebio es conductor del M3, con origen en la plaza de Callao y final en el barrio de El Pilar, a dos pasos de donde nosotros vivimos.

Por lo general, tiene horario de mañana, y obliga a su mujer a acompañarle en unas siestas feroces, violentas e interminables que, en verano sobre todo, resultan muy poco recomendables para una vecina como yo. El hermano de Eusebio es un hombre de edad todavía perdonable y de físico vulgar; más bien menguado de estatura, de rostro mahometano, andares bruscos, voz ruidosa y rural, alegre a su manera, lleno de músculos nada depurados de cintura para arriba y de nervios incansables de cintura para abajo. El grifo de la perdición lo tiene quizás en exceso llamativo, yo diría que desproporcionado; sólo una educación primitiva puede explicar, creo yo, que su mujer se vuelva con eso tan loca como se vuelve. Su mujer es una muchacha de apariencia bastante finita, tiene su estilito y todo cuando se arregla y saca a pasear a Vanesa por el parque de La Vaguada, pero la intimidad de la alcoba la convierte en una verdadera ninfómana de la selva. A mí me da hasta un poco de repugnancia, no puedo remediarlo. El del autobús se desnuda en un santiamén, como si Fidias el griego estuviera metiéndole prisas —señor policía, la cultura es el santuario del espíritu—, y luego, sin esperar a que la pobre mujer se quite ni el delantal, la fuerza a que se la chupe. Es un acto de verdadera y nauseabunda brutalidad, pero esa mujer en cuanto se engancha es que se transforma. Esa mujer tiene tal incontinencia bucal que su hombre empieza en seguida a dar alaridos como una fiera atrapada, y tiene que separarse las nalgas con las dos manos y pedirle a su señora que le haga croché en el esfinter, me imagino que para compensar.

El muy cabestro se lo pasa de película, mientras su señora trabaja como una esclava. Es horrible cómo crece esa manguera oscura entre los labios de una pobre ama de casa obligada a darle gusto a su dueño y señor. Yo, francamente, cuando lo veo, me quedo petrificada. No puedo moverme. No puedo alejarme de la ventana. Me restriego las ingles contra el alicatado como una perra salida. Tengo que echar mano de un tubo de desodorante esprai para calmarme un poco la vagina posterior, mientras me dura la parálisis. Es un martirio, señor policía. Porque yo estoy segura de que en eso no hay amor. Quiero decir, en el desenfreno y la gula carnal de esa pareja animalizada, en los estertores de ese hombre que jura que va a reventar de gusto, en la lasciva devoción de esa mujer que, cuando se saca un momento de la boca el cilíndrico argumento de su desdicha, asegura, temblando como un torero a hombros y agarrando la verga monstruosa como un naúfrago un salvavidas, que ella se pasaría así la vida entera. Desde luego, no seré yo quien lo ponga en duda. Hay que verla. Hay que entenderla, supongo. Es toda la compensación que tiene a una vida de sumisión y de paseos por La Vaguada. Su única revancha. Se vuelve loca. Se levanta las faldas hasta las clavículas. En cuclillas como está, se despatarra de tal manera que convendría llevarla a un programa de televisión por si tiene algún mérito. Se destroza las bragas; la pobre debe tener un presupuesto mensual en bragas que no me extraña que le cobren mensualmente a mi Eusebio lo que le cobran. Se mete el dedo hasta el anillo nupcial. Se lo embadurna. Se contorsiona. Y todo ello sin dejar que de su boca escape el bazoka milagroso. Sin permitirle a su hombre ni un segundo de alivio. Como si se vengase del conductor y de Vanesa y de todo el barrio de El Pilar y de La Vaguada de un modo tan sibilino: dándole a su hombre placer hasta hacerle daño. Y reclamando un placer violento, residual, indecente. Porque acaba sentándose como puede en la pantorrilla de su hombre, restregando contra ella su cazuela al rojo vivo, deslizándose cada vez más hacia el pie, agarrándole el tobillo, abriéndose los labios de la vagina con los dedos peludos, deformes, mugrientos, llenos de callos y de asperezas, adornados con negras uñas retorcidas, de unos pies endurecidos y abotargados por la lucha diaria con el freno y el embrague. Medio pie desaparece como por ensalmo en el coño de esa delicada criatura mientras ella se retuerce de felicidad y su hombre tirita sobrecargado de lujuria, a la beatífica hora de la siesta, y la llama a gritos perra viciosa. Un escándalo. Tiene que ser un escándalo para toda la vecindad, para todo el bloque. Y, la verdad, que yo sepa nadie ha protestado todavía. Nadie. Yo tampoco, desde luego. Dios me libre. Yo sé que en ese sombrío frenesí no puede haber amor, porque el amor es un apacible manantial que todo lo admite pero que todo lo sosiega, y, sin embargo, ellos acaban siempre, terminan todas las sesiones jurándose a gritos que se aman. Se engañan. Se hipnotizan el uno al otro mientras les dura la digestión. Se derrumban en la cama de matrimonio después del primer envite y da un poco de aprensión ver esa polla enorme completamente amoratada, como si corriera peligro de gangrenarse. Uno diría que esa polla furibunda necesita cuidados intensivos. O, al menos, un prolongado descanso. Un descanso que siempre tarda en llegar. Porque ella no se da fácilmente por vencida. Antes de que él caiga rendido por el sueño, ella salta de la cama y hurga en el armario empotrado de la habitación, saca una cazadora del uniforme de invierno de la policía nacional —mi Eusebio me aclaró, en su momento, que es el único armario de la casa y que ahí le guardan su uniforme de recambio—, unas botas de faena del ejército, guantes blancos de los días de gala, y con todo eso ayuda a disfrazarse a su galán, mientras ella improvisa con un mantoncillo y unas sábanas un modelo de pelandusca cuartelera. Una vez le oí a ella decir, con la voz ronca y grasienta del lupanar, anda vamos a jugar a lo que hacías con aquella puta que se encaprichó contigo cuando la mili, y desde entonces comprendí ese juego obsceno y enfermizo al que se dedican muchos días durante el resto de la siesta, él convertido en un fantoche con aquella cazadora marrón que llegaba a cubrirle sus vergüenzas, nadando grotescamente en las botas gigantescas, enfundados los guantes como si fuera a hacer la primera comunión, y dando traspiés por la alcoba en su papel de recluta zangolotino, mientras ella se contonea como una mala actriz en un papel de furcia en una mala película y le persigue como la sífilis persigue a los marineros de puerto en puerto. Siempre es ella la que hace el paripé de no alcanzarle, de no camelarlo con presteza, de no ponerle suficientemente cachondo con la exigida prontitud y consistencia, hasta que él reacciona, se siente imbuido de su papel de jovenzuelo inexperto pero ansioso, se abalanza de pronto sobre ella, la derriba, le sujeta los brazos y las piernas contra el suelo, se le enciende y se le dispara otra vez la hombría con la potencia de un Mirage y cuando, a pesar de la resistencia de la gran puta, que no se para en barras y pega unos mordiscos rigurosamente auténticos, él está a punto de proceder a la violación, ella chilla la regla, la regla, tengo mi regla, y se deja entonces dócilmente dar la vuelta, los cuartos traseros abombados con la curvatura exacta y los morros aplastados contra el parqué, y él la ensarta limpiamente por detrás, en un mar de espasmos y gemidos, en una larga y musculosa maniobra de bombeo que acaba justo cuando a mí me abandonan las fuerzas y pierdo, encharcada hasta los talones, el conocimiento.

Créame, señor policía, en este país el proletariado ya no respeta nada. Como decimos por aquí las gentes de buena clase y condición, no sé adónde vamos a llegar. [Voz de la Balcones: «Tú, al oculista, facha hija de puta, como sigas trabajándote la visual con mala iluminación».] Como usted ve, aquí enseguida te llaman facha, y yo todo lo que pretendo es que, en esta vida, cada uno ocupe el sitio que le corresponde, no creo que eso sea ningún desprecio ni delito alguno. El hermano y la cuñada de mi Eusebio tenían que preocuparse más de Vanesa y menos de hacer cochinadas como si tuvieran de todo y estuviesen hastiados de la vida. Si entre ellos hubiera amor, Vanesa sería a todas horas el centro de su existencia. Porque el verdadero amor necesita prolongarse y en los hijos se cumple esa necesidad. Así es como yo pienso, señor policía, muy clásica y muy prudente en las cosas que considero fundamentales, y ojalá esto sirva para que gente de orden como usted cambie de opinión sobre nosotras. Sobre algunas de nosotras, desde luego, porque tampoco está bien, me parece a mí, que los pecadores se aprovechen de las virtudes y los sacrificios de los justos.

Mire, le voy a decir todavía más: si algún día Eusebio se atreve a vivir conmigo, haríamos todo lo posible por adoptar a Vanesa. Lo hemos hablado muchísimo, estaríamos dispuestos a llegar hasta donde hiciese falta. Personalmente, pienso que bastaría con que cualquier juez viese a los padres de la chiquilla, a la hora de la siesta, desde la ventana de mi cuarto de baño, y Vanesa pasaría inmediatamente a nuestra custodia. A Eusebio y a mí no nos cabe la menor duda. [Voz de la Balcones: «Pues será lo único que no os quepa, hija mía. Qué atrevidas, por favor».] La envidia piensa que con hablar se medra, dice un dicho de mi pueblo. Hay que tener en cuenta que Eusebio es el padrino de la niña y tiene una responsabilidad. La justicia en estas cosas es muy comprensiva, ha evolucionado muchísimo. Ahora se tiene en cuenta, sobre todo, el bienestar y la educación de las criaturitas. A mí, señor policía, figúrese, me hace una ilusión enorme. Vanesa para mí lo sería todo. Es una chiquilla lindísima y muy espabilada. Se llama Vanesa en honor de la hija de Manolo Escobar, mi Eusebio fue quien le puso el nombre —quien se lo puso a su sobrina, no a la otra, por Dios. Hay quien dice que no, pero yo estoy segura de que es un nombre muy sencillo y muy cristiano.

Por Vanesa, Eusebio y yo sacrificaríamos con gusto nuestra intimidad. Ahora, también nosotros nos desbocamos un poco cuando estamos juntos, sería tonto negarlo, pero con Vanesa a nuestro cargo las cosas tendrían que cambiar radicalmente. Esto no lo he hablado con mi Eusebio, pero seguro que él está de acuerdo conmigo y, llegado el momento, se me adelantaría y me pediría vamos a dejarlo corazón, vamos a controlarnos y a mantener la compostura por el bien de la niña. Porque una criatura de su edad por fuerza tiene que percibir de alguna forma lo que sus padres hacen al otro lado del tabique y por fuerza eso le tiene que hacer mella en su sicología. Hay una cosa: ahora, durante la siesta, que casi siempre dura más de tres horas, Vanesa ni chista, y una de dos: o la niña está ya casi irremediablemente traumatizada o los padres le ponen un narcótico en la Fanta a la hora de comer. Eusebio, como a fin de cuentas se trata de su hermano y de su cuñada, dice que no, que la chiquilla siempre ha dormido divinamente y no da lata ninguna.

Conmigo podría dar toda la lata que quisiera. Nada le negaría. Ya se ha visto el día de su primera comunión, que a su tío le hacía una ilusión enorme regalarle una máquina de fotos de esas polaroid, de esas que revelan al instante, carísimas por cierto, no por lo que cuestan en sí, sino por lo que gastan, que nadie me diga lo contrario, un sacaperras continuo es la dichosa maquinita, pero, hijas, a Eusebio le hacía ilusión regalársela, ya digo, y el pobre estaba mal de fondos, así que yo puse el dinero, y encantada, eso que quede claro, encantadísima de poder darle una satisfacción al tío y una alegría a la sobrina, lo que no quita para que reconozca que el chisme de las narices es una verdadera ruina. En esa familia se han hecho todos, todos, forofos del invento, por favor.

Yo en la primera comunión no estuve, eso se comprende, pero Eusebio me explicó que nuestro regalo se convirtió de inmediato en la estrella de la fiesta, y eso que él tuvo mucho cuidado de que no gastasen enteros los dos cartuchos de fotos que Eusebio se había empeñado en incluir en el paquete. Quería hacerle algunas instantáneas a la niña con más tranquilidad, en el piso, un recuerdo especial del día más feliz de su vida. Yo esas fotos sí que se las vi hacérselas; lo vi desde la ventana de mi cuarto de baño, un poco por casualidad, que no es que yo esa vez estuviera espiando, pero pasó un poco como la primera vez que vi a Eusebio desnudo en su habitación, cuando sentí el flechazo y comprendí que me había enamorado de él como una colegiala, después de que él comprobase que no había moros en la costa y se quedase en pelota picada, con ese cuerpo tan precioso y tan duro que tiene, con ese rabito tan gustoso, tan discreto, tan poco alarmante, y con aquella manera tan emocionante que tuvo de apoyarse desnudo contra la pared, como si fueran a martirizarlo con flechas, sin poder evitar que el sexo poco a poco se le inflamara hasta encabritársele, hasta que no tuvo más remedio que masturbarse lenta y solemnemente, majestuosamente, a sabiendas, el muy bandido —por fin un día, pasado el tiempo, me lo confesó—, de que yo era el único espectador de su obra de arte, porque paja mejor efectuada nunca vi, creyéndome oculto por la sombra, convencido de que él no me veía, pero soñando con estar equivocado. Pues igual. Lo mismo pasó aquella tarde. También él dice que me vio, a pesar de que la luz de mi cuarto de baño estaba apagada.

Vanesa llevaba puesto su traje blanco y precioso, con su gran lazo de raso, sus anchas jaretas de encaje, su velo de tul. Una pequeña fortuna se tuvo que gastar el conductor del M3 en el traje de primera comunión de su niña, ya ve usted, eso no tengo más remedio que alabárselo. Eusebio le pidió que se pusiera al pie de la cama y que juntase las manos piadosamente a la altura del pechito y así le hizo la primera foto. Luego, le indicó que se quitase ella misma el velo, y mientras ella lo hacía, con muchísima dificultad, pero sonriendo, porque así era como el tío Eusebio quería que lo hiciese, la maquinita volvió a realizar el milagro de revelar una foto en treinta segundos. Después Vanesa se quitó el lazo, y en la foto de ese instante la verdad es que a la niña le ha salido cara de cabaretera. En la siguiente, de medio lado, dejando ver la espalda del vestido desabrochada hasta la cintura, y mirando pícaramente de reojo, según las instrucciones de su tío y padrino que la adora, Vanesa vuelve a tener una carita angelical. Francamente, yo, que no perdía comba, me asusté un poco: no podía comprender por qué estaba empezando a ponerme cachonda. Era un efecto óptico, sin duda. Mi Eusebio marcaba de pronto, en la bragueta del pantalón de su traje reservado para las ocasiones, unas durezas que me trastornaban. Sería cosa de la postura, ya se sabe la coreografía que le echan a todo los fotógrafos. Vanesa se sacó las mangas del vestido y se lo dejó colgando sobre la cintura, y Eusebio le pidió que se pusiera por debajo de las tetitas el escote de la combinación antes de tirar la foto. A continuación le hizo otra muy artística, una pose que necesitó mucho manoseo y explicaciones por parte del fotógrafo; el traje estaba ya en el suelo, a los pies de Vanesa, y la niña se tiraba con una mano del escote de la combinación hasta casi el ombligo, y con la otra se subía el faldón hasta enseñar las puntillitas de las bragas. Eusebio repitió esa foto, según me dijo, para mayor seguridad. Al final, claro, Vanesa se quedó con las braguitas solamente, y volvió a juntar las manos con mucha gracia y piedad sobre el pechito desnudo, con su melenita suelta sobre los hombros, con su mirada inocente, con su carita de cansancio después de un día de tanto ajetreo y de tantas emociones, por lo que el tío Eusebio le pidió, ya para terminar, y para que descansase un poquito, pobrecita, que se tumbase en el borde de la cama, con las piernas fuera, colgando separaditos los muslos, porque así se favorece la circulación, y con los bracitos extendidos, las palmas de las manos hacia arriba, para que en la foto se viera que estaba esperando el abrazo de Jesús.

Tendría que estar ciego el juez que no lo viera: Eusebio y yo nos adoramos y en el amor está nuestra fuerza y nuestra fantasía, nuestro estímulo y nuestra seguridad, nuestro embeleso y nuestro arrebato, nuestro delirio y nuestro sosiego. Vanesa tendría con nosotros un hogar de paredes blancas y visillos transparentes de organdí, de puertas abiertas, de tabiques sin secretos inconfesables. Yo me conozco y respondo de mí. A Eusebio quizás le costara un poquito más de esfuerzo, porque ya se sabe que los hombres tienen otras urgencias, otra educación, otra manera de entender la vida y de apreciarla y peor conformar, sí, pero el amor rompe cadenas y aguanta tempestades, y además, señor policía, ya lo tenemos muy hablado. Yo, muchos días, le suplico que hagamos juntos el sacrificio y la penitencia de dominar nuestros instintos, porque así nos sentiremos preparados y seremos fuertes cuando llegue la hora de la renunciación, cuando la niña viva con nosotros.

—Cuando tengamos a Vanesa —dice él, quedándose de pronto como ensimismado—, todo cambiará.

Claro que, mientras tanto, y a pesar de todos mis esfuerzos y razonamientos, nunca consigo que se controle. Y debo reconocer que las cosas empeoraron desde el día de la primera comunión de la criatura, desde la primera tarde que tuvo libre de servicio y se presentó en mi apartamento, como siempre vestido de paisano, pero con una bolsa de deportes en la que guardaba el velo y el gran lazo de raso del vestido de la pequeña. Yo me eché en sus brazos porque me gusta sentirme cobijada en los biceps de la ley y el orden, ya sólo de pensarlo se me dilata la matriz, y él me llevó, con la autoridad de que se sabe investido, al dormitorio, haciéndome por el pasillo zalamerías un poco más calculadoras de lo habitual. Voy a pedirte un favor, susurró a mi oído mientras me instaba a permanecer de pie junto a la cama, quiero que te vistas para mí como en el día más feliz de tu vida. Yo me sentía sin moral para contradecirle, porque hasta ahora no he tenido nada mejor que ofrecerle que las turgencias de mi cuerpo y la docilidad de mi espíritu, y además hubiera sido del todo punto improcedente confesarle que el día más dichoso de mi existencia fue aquel en que por primera vez me sentí mujer, sentada a lo amazona en el orlando furioso de un joven estibador del puerto de Cartagena. Naturalmente, no soy imbécil y entendí con toda prontitud que se refería a mi propia primera comunión, y, por si cabían dudas, fue entonces cuando puso ante mis ojos el velo de tul y el lazo de raso que había tomado prestados de aquel insondable armario familiar, testigo a la vez de tanto candor y de tanta concupiscencia. «Voy un momento al baño», murmuró, con esa voz compacta de quien sabe que pisa terreno seguro. Yo sabía lo que me estaba pidiendo, de forma que cuando él volvió a la alcoba, con la pretina del pantalón abierta y la mirada codiciosa, me encontró engalanada para él. En un santiamén me había desnudado y escondido debajo del colchón la ropa de calle. Me enrollé en el cuerpo la colcha blanca de moaré que me regaló hace años, por Reyes, mi hermana la catequista. Fijaros por dónde, me vino de perlas. Con el lazo de raso, improvisé en un periquete un vestido de primera comunión radiante, un vestido de nuestros tiempos, no como los de ahora, tan sobrios y tan insípidos. El velo me quedaba un poco raquítico, la verdad, pero también ponía, tan respingón, cierta picardía en el conjunto. Tuve tiempo de echarme una mirada en el espejo y me encontré incluso demasiado turbadora, así pude cerciorarme de que era necesario esmerarse en la expresión de ilusionada candidez que caracteriza a las chiquillas en un día como ése. El efecto, desde luego, fue fulminante. A Eusebio le cambió la cara, se le puso de pronto una conmovedora expresión de joven sátiro menesteroso, se arrodilló a mis pies como un vidente, se agarró del borde de mi improvisado vestido de moaré y dijo, trastornado, eres un ángel, vida mía. Yo era un ángel con las manos cruzadas sobre el pecho y los ojos vueltos hacia arriba como una inmaculada de Murillo, y él escondió la cabeza bajo mis largas enaguas y empezó a lamerme los tobillos como si fueran de menta. Lamía mis pies como si en ellos descansara el paraíso, y mis pantorrillas escrupulosamente depiladas, tersas como el firmamento en una noche de principios de verano, y lamía mis rodillas temblorosas como melocotones tiernos, las empapaba con su saliva cálida y suave, las acariciaba como a perrillos asustados con la piel interior de sus labios, las frotaba delicadamente con sus onduladas encías, las mordisqueaba como si fueran panecillos crujientes. Yo era un ángel lamido y relamido por el amor, por la boca jugosa de aquel hombre en cuyo rostro se había esmerado la belleza propia de los varones, la frente recta, la nariz fuerte y bien medida, un bigote trigueño de color y de frotar sedoso, boca generosa, pómulos marcados, mejillas lisas y firme mentón con el hoyuelo de los privilegiados. Yo era un ángel de muslos agobiados de besos, acuciado por palabras oscuras, atormentado por chupetones gozosos y sacrílegos, estremecidos por la respiración desesperada de un policía nacional obsesionado con beber las cristalinas aguas que brotan en el corazón de la inocencia y de la ternura. En las ingles de los ángeles.

Así llevamos mucho tiempo. Todas las tardes en las que libra, sube a mi casa y me pide lo mismo. Yo derramo el néctar de los ángeles en su cabello fuerte y abundante, y después le lavo la cabeza con un champú muy exclusivo de Margaret Astor. El néctar espeso y blanquísimo de su devoción lo derrama él, sin ninguna consideración, en la moqueta, así me la tiene de deteriorada, de impresentable. Esas manchas blancas, señor policía, son las hojas secas del amor. Lo que ocurre es que me da miedo meterme en gastos, pues cualquier día nos tenemos que mudar. En cuanto él se atreva a vivir conmigo y podamos pedir la custodia de Vanesa.

—Cuando tengamos a Vanesa —me dice, zalamero, para tranquilizarme— ya tendremos en casa un ángel de verdad.

Señor policía, ¿no le parece muy hermoso? Son las ventajas del amor. El vicio no conduce a nada. Que se lo digan a la pobre Vanesa, con esos padres enfangados en interminables siestas llenas de lujuria. Pregúntele a la niña, ya verá cómo prefiere mil veces a su tío. Eusebio la cuida. Eusebio la saca de paseo. Eusebio le hace fotos. Muchas fotos. En la habitación, en la ducha, en la piscina, sobre la yerba, en los toboganes... La criatura tiene ya un álbum entero, y en la primera página del álbum ella misma ha escrito: «Vanesa en el país de las maravillas».

[Voz de la Balcones: «Cochinos».] Señor policía, para contadas bocas están hechas las delicias y sutilezas del amor, y, ¿sabe lo que le digo?: A la que le pique que se rasque, y, si no se le pasa, que se dé una vuelta por la consulta, que hay pomadas. [Voz de la Balcones: «Por Dios, señor policía, ni se le ocurra. Como la dermatóloga ésta le mande polvos para una verruga, lo mínimo que le sale es el sarcoma de Kaposis».] Culebra... Lástima que la cinta se termine.

3

Donde Colet la Cocó, ejecutiva muy viajada y muchilingüe, advierte contra los estorbos y estragos del idioma y esgrime un sabroso ejemplo para ilustrar su teoría de que el jolgorio no necesita palabras

Nenas, por la boca muere el pez. Bueno, para ser exactos, por el lenguaje. Qué desperdicio, por Dios, tanta palabrería. Es lo que pasa con el español: un idioma barroco, excesivo, nada moderno, nada práctico. Nada idóneo, en esta era de la síntesis. [Voz de la Balcones: «La Síntesis debe de ser una mariquita con anorexia».]

No admito interrupciones, lo advierto.

Iba diciendo: la nueva tecnología de la comunicación está hecha para ser concisos. Exactos. Estamos en el reino de la precisión, de la economía verbal. El oído del hombre contemporáneo no admite ya lo superfluo ni las digresiones. Hay que ir al grano y por derecho. Con las palabras justas. Es la hegemonía de la semántica. Y, antes de que meta la pata la ingeniosa de la reunión, advierto: La Semántica no es una maricona con un nombre raro, no es una loca que al bautizarse para la guerra se haya pasado de original. La semántica es la ciencia clave del lenguaje en el mundo contemporáneo.

Un poquito empachosa de teoría, lo reconozco. Reflejos profesionales, nenas. Es teoría, sí, pero noble. Y, de todos modos, lo voy a decir en plata, no preocuparse: la Balcones y Betty la

Miel han estado demasiado exuberantes, sinceridad ante todo, demasiado recargadas en sus narraciones. Demasiados adornos. Adjetivos. Adverbios. Demasiados epílogos y preámbulos. Demasiada pasión verbal. Habéis estado mareantes, nenas. A la narrativa moderna la llaman «La Telegráfica» y sólo tenéis que fijaros en las series de televisión que hacen los yanquis. Pasa de todo en nada de tiempo y con dos palabras. No como en esas series que hacen las pesadas de las inglesas. La televisión inglesa anda todavía lesbianeando con la narrativa decimonónica, una bollerona mayorcísima a la que llaman «La Minuciosa».

Hoy en día, guapas, el lenguaje tiende a comprimirse, es una manera de ser universal. Es el signo de los tiempos, no hay nada que hacer. Yo comprendo que os cueste un trabajo horroroso el adaptaros, pero hay que hacer un esfuercito. Tenéis debilidad por la verborrea grandilocuente. En todo. A todas horas. Con todo el mundo. Y eso no puede ser. Hay que ser menos raciales. Lo racial en el lenguaje está pasadísimo de moda. Hay que tomar astringentes para las cuerdas vocales, si es preciso. Un lenguaje racial, un lenguaje florido, un lenguaje exclamativo y onomatopéyico puede echarlo todo a perder. Todo. Y así está el mundo, que ya no quedan machos como los de antes.

A esto es a lo que servidora quería ir a parar. Lo que ocurre es que servidora tiene una mente cuadriculadísima, una mente de ejecutiva moderna y exitosa, y un in-put bien clarito y bien estructurado —un in-put no es una pomada para el chocho, nenas—, un in-put impecable es fundamental para llegar a un corpus informativo sin grietas ni puntos débiles. Servidumbres de la técnica, qué le vamos a hacer. Pero a lo que quería ir a parar era a eso: apenas quedan machos por esos mundos de Dios. Os lo dice Colet la Cocó, que tiene ya este mundo muy viajado.

Tampoco en América, señor jefe de la policía de Georgia, quedan machos integrales, machos de la cabeza a los pies. En América, mire usted, menos que en ningún sitio.

Naturalmente, el fenómeno tiene que tener una explicación. Para mí, como ya adelanté, la explicación hay que buscarla en el lenguaje. En los desvaríos de la logomaquia, nenas. Las mariquitas enloquecemos por hablar, a todas horas, con todo quisque y hasta en los momentos más íntimos, y claro, hijas, los hombres del planeta Tierra —daría una cualquier cosa por conocer a los de otras galaxias, por si hubiera suerte—, los de aquí, del Polo Norte al Polo Sur, de Oriente a Occidente, no son de piedra. A ver si lo entendéis.

Guapitas de cara, lo que pasa es esto: llega un hombre, le ofreces tu casa, le sirves una copa, le dices ponte cómodo chato, que yo vuelvo en un momento, y vuelves en seguida con el modelito para la ocasión, muy sexy y muy desinhibida, con tu vaso largo de pipermín con hielo, y dices de pronto horrorizada por favor perdona hay que poner música, una música suave, tu disco preferido, viejas canciones de Sinatra, esa voz de terciopelo, y marcas sin mirarle unos pasos de baile lento y solitario, un baile en el que falta él, pero no, que no se levante, todavía no, que procure sentirse confortable, por favor, y tú corres los visillos para que en el salón se instale una penumbra cómplice y acogedora, para que también el aire se relaje, y te instalas dulcemente junto a tu galán, te humedeces los labios con el pipermín, te sientes viva, animada, atrevida, cachonda, te acurrucas melosa a su costado, pones tu mano nerviosa en su rodilla, le arañas despacito con tus uñas supercuidadas, ronroneas como una gata de angora, murmuras no sé si voy a poder soportarlo y él entonces, sin demasiada delicadeza, las cosas como son, te pide pon el vídeo, putita mía, y tú ronroneas un poco más aunque sabes que no te va a servir de nada, que él manda, como siempre, que él se pone cachondo más deprisa con esa película terriblemente pornográfica que te trajo de Hamburgo un antiguo novio camionero, que todos son iguales, también él te pedía anda pon el vídeo, como si contigo no le bastara, como si contigo sola no lograra ponerse cardíaco perdido, siempre lo pensabas, siempre lo piensas, pero procuras olvidarlo, procuras ahogar esos tristes pensamientos, no obsesionarte, es sólo un juego, a él le gusta jugar, lo comprendes, no es un feo que te hace, no es que te quiera menospreciar, es su manera de ser, te dices, los hombres son todos iguales, será una cosa de las glándulas, agradecen muchísimo algo fuera de lo corriente, y a fin de cuentas tú lo único que quieres es que sean felices, que sea feliz, anda, putita mía, palabras que te suenan a gloria, así que haces lo que te pide, pones el vídeo aparentando que estás sonámbula, como si con eso defendieras un poco tu amor propio, como si estuvieras semiinconsciente, sin saber muy bien lo que haces, lo pones y vuelves junto a él, entregada, cachonda, servil, apoyas la cabeza en su pecho en busca de unas migajas de romanticismo, pero está él para romanticismos, en seguida se pone a meterte prisa cuando te dice estoy loco por que me acaricies como tú sabes, y tonta de ti le acaricias con mucho amor y mucho temblor la mejilla, y él te dice así no, boba, así lo hace cualquiera, anda, házmelo como tú sabes, y te empuja la cabeza a su entrepierna y tú, en lugar de luchar por tu dignidad, pierdes inmediatamente el control, le abres la bragueta con la pericia de un cirujano, se la sacas, tan gorda, tan dura, tan cargada, y él te dice cómetela toda y tú ya entonces empiezas a chupar y a jadear, a decir qué rica, qué fiera, qué sabrosa, en los entreactos, en las pausas para respirar, en los paréntesis que hacen falta para que él no se corra demasiado pronto, tú sabes cómo hacerlo, cuándo hacerlo, es cuestión de experiencia, mientras en el televisor unos alemanazos descomunales se cepillan salvajemente a grandes tetonas de coños como vagonetas, qué rabazos, él dice menudo rabo tiene el gachó y a ti eso no te importa, tú tienes el suyo, lo lames, lo muerdes, lo sorbes, qué rico, pero él lo dice y lo repite, joder con el gachó, el rabo que gasta, cómo se lo traga la tía, trágatelo, cómemelo entero, cómo se lo mete, cómo disfruta la gran puta, mírala, te obliga a mirar el televisor, te obliga a darte la vuelta, a ponerle el culo, igual que la tetona de la película, también el alemanazo está enculando a la primera actriz, fíjate, fíjate en el gusto que le está dando, cómo disfruta, mira la cara de gusto que pone la gran puta, y tú también quieres, tú te apresuras a dar todo tipo de facilidades, te hubiera encantado chuparle la polla empapada en pipermín, pero él está ya acelerado, él quiere que tú disfrutes como la rubia de la película, así, a pelo, sin crema ni nada, te voy a reventar, dice él, te voy a partir este culazo de rumbera negra que se te ha puesto, y a ti el flujo se te sale ya por las orejas, te meces, se lo pides, métemela toda, mi negro, enterita, mi amor, así, despacito, mi vida, ay qué gusto, ay qué placer me das, ay qué sabroso, pero qué rico es esto, pero qué bueno, lo mejor, lo mejor del mundo, mi niño, la gloria, esto es la gloria, y venga a gemir de entusiasmo como una perra bien ensartada, y venga a hacer propaganda de la cosa, que eso es lo malo, nenas, que no nos estamos calladas ni un minuto, que hacemos todo lo posible para que él se entere de que aquello es el séptimo cielo, que en el mundo no se ha inventado otra cosa igual, que las mujeres por el coño no disfrutan tanto, faltaría más, si sólo hay que verlo, si ya se ve en las películas alemanas que son las mejores, cómo las enculan en seguida, y cómo se desquician ellas, las muy zorras, con el mandado en la cañería, metido hasta los huevos, qué gusto, mi amor, mi negro qué sabroso, y él siempre quiere saber si es verdad, si te está dando tanto placer, mi vida, dime que sí, dime que te lo doy, y tú entonces ya echas el resto, ya se te vuelve loca la lengua, se te viene a los labios todo lo más rico que se te ocurre, y te pones tensa, y te retuerces, y te dices a ti misma si hubiera una cámara delante por esta interpretación me daban el Oscar, lo pones todo, lo das todo, te inventas lo que haga falta, y él se corre, claro, naturalmente que se corre, como un orangután, como un semental de ganadería brava, como el supermacho vikingo de la peli, pero se queda con la copla, pues claro que se queda con la copla, la mayoría se quedan impresionadísimos, nenas, os lo digo yo, y se comprende, después del numerazo que montamos nosotras, después de tantos gritos de gusto y de satisfacción no tienen más remedio que pensarlo, no tienen más remedio que pensar esto tiene que ser buenísimo de veras, qué suerte, qué envidia, hijas de puta, sería cosa de probarlo, hay que probarlo, a ver si me decido y lo pruebo, eso piensan, y lo prueban, hijas, últimamente todos se empeñan en probarlo, el tío con más pinta de macho se te da la vuelta en un periquete, en cuanto te descuidas, zas, cuando quieres darte cuenta ya te ha puesto el culo, nenas, qué asco, todos, pero nosotras tenemos la culpa, nosotras, por tanta palabrería, tanto grito y tanta publicidad.

Qué horror. Qué largo. Y sin puntos ni nada. Qué contradicción, lo reconozco. Pero es que me subleva. No puedo remediarlo. Mudas, hijas mías; mudas estamos muchísimo más guapas. Tenemos que hacer una campaña, en todos los idiomas: mariquitas del mundo, cuando os den por el culo disfrutadlo bien, pero calladitas, que si no el gachó se entusiasma y luego él también quiere.

Haced el amor, no un discurso.

Comprendo que es difícil. Y comprendo que yo lo tengo un poquito más fácil. Tanto viaje. Todo el año zascandileando de un aeropuerto en otro. De locura. La semana que viene vuelvo a El Cairo.

Adoro El Cairo. Adoro los baños de Al Mkasis. Os lo cuento. Intentaré contenerme. Dominaré mi lenguaje. Todo muy escueto, que se entiende mejor. Hace más impacto. En baños de Al Mkasis hay de todo. Ejemplares de ensueño. Todos cubren discretamente sus partes con un pañito que, en realidad, no sirve de nada. Qué protuberancias. Qué atmósfera. Decoración nubia. Cuerpos oscuros, fibrosos. Ojos ardientes, suplicantes. Gestos. Que los sigas. Todos quieren que los sigas. El problema es elegir. Puede armarse un tumulto. Se necesita habilidad, mucha habilidad. Ir descartando. A veces sirve, pero casi nunca vale de nada. Mi hermana la Marcuse me dijo aquí lo mejor es cerrar los ojos y que arda Troya. No conocéis a la Marcuse, es secretaria de Embajada, menuda loca, siempre con medias de cristal a todas partes, encima se coloca los calcetines cuando se viste de señor. Diplomática, la tía. Ella dice que la media es el mensaje. Ahora está destinada en Rumanía donde seguirá causando estragos, se hace enviar por valija cajas y cajas de medias Glory. En El Cairo se tiró seis años por lo menos. Pero no muchos egipcios, ella va de divina por el mundo. No sé de qué le sirve. Yo no. Yo, a lo práctico. Elegí. Un bigotitos de bandera. Qué cuerpazo. Y qué mazorca marcaba. El me hizo una señal. Quería que me fuese al fondo de la sala, un lugar oscuro. Me dije lánzate. Nada más levantarme se me puso al lado, me cogió de la mano y dijo *Come with me, my friend*. Ni una palabra más. Entramos en una especie de pasillo. Pequeño. Oscurísimo. Yo me puse directamente de cara a la pared. Nada de prolegómenos. Abierta. Qué rabazo, nenas. Me entró como te entra un tic: de pronto. Olé Alá, me dije. Qué arrebato. Se vació enseguida. Qué rapidez. Aún más rápido que yo, ya sabéis que yo me corro nada más tocarme, por eso las malas que lo saben me llaman la Polaroid. La instantánea. Si tuviera tiempo, lo explicaría: la eyaculación precoz es una disfunción del lenguaje. No tengo tiempo. Yo me alarmé, ¿esto es todo? Un poquito desilusionada, la verdad. Pero, nenas, no me dio tiempo a volverme. Otro tomó la vez. Otro rabazo de morirse. Otra veloz penetración. En silencio. Yo apreté los cachetes traseros. Para reternerlo un poco. Para aguantar. Para nada. Otro que me inundó en cinco segundos. Y después otro. Y otro. Todos mudos. Hasta quince. Hasta que no pude más. Qué dolor. ¿Cómo salir de allí? Volví la cabeza. Los ojos ya se me habían acostumbrado a la oscuridad. Horrible, nenas. Casi me desmayo. Había una cola. Una cola larguísima. Como si fueran a entrar en el cine. ¿Cómo escapar? El que tenía la vez gruñó algo. Estaba impaciente, claro. Le tocaba meterla. Era guapísimo, por cierto. Le eché mano para ganar tiempo. Un escándalo de verga. Apuntó mal, o yo me había movido, y casi me rompe el fémur. Qué apuro. Qué peligro. Qué suerte, por fin. De pronto se armó bulla en la cola. Alguien protestaba. Yo hice ver que me asustaba. El de la vez se alarmó. Se volvió para gritar algo. Creció la bulla. Aquello terminaba en bronca, seguro. ¿Qué pasaba? *Nothing, nothing*, decía el pobre. Mala suerte. La discusión, por lo que fuese, había subido de tono. Era el momento. Y lo logré. Me zafé. Salí de allí como pude. Cagada. Y la hija de puta de la Marcuse, muerta de risa. Cabrona, ¿de qué te ríes? De la pelea. ¿Qué pasaba? No te lo vas a creer, dijo ella, desternillándose: que uno se quiso colar.

Como habéis visto, queridísimas mías, en la bonita historia que os he contado en la cara A, el lenguaje acaba siendo nada más que un estorbo. Sin lenguaje, la acción se vuelve sincopada, vibrante, terriblemente fluida. La palabra es siempre, en cualquier idioma o dialecto, voluminosa y voraz, se adueña del espacio como una gorda de tres asientos contiguos en el autobús, y muerde y mastica como una piraña. A la palabra hay que doblegarla si queremos sacar provecho de la mercancía tan especial, tan fascinante, tan perturbadora que nosotras ofrecemos.

Mirad: en Budapest, en la Plaza Petöfi, hay unos retretes públicos, subterráneos, a los que se baja por una larga y estrechísima escalera y en los que sólo se entra después de introducir, en un curioso artefacto superpuesto a la cerradura, una moneda de dos eslotis. Realmente, es una garantía para las mariquitas húngaras. Como se puede suponer, esos retretes están concurridísimos. Uno puede toparse allí, sobre todo a primeras horas de la noche, cuando cierran las fábricas, a una verdadera multitud. Gente guapísima. En hombres, Hungría y Checoslovaquia parten con todo; como diría una mariquita conservadora, serán milagros del sufrimiento. Los de Hungría, además, últimamente están desbocados. Se pirran por una buena mamada. Así que se amontonan, con sus bolsitas de trabajo y bien provistos de monedas de dos eslotis, para entrar y salir según vean el panorama, en los retretes de la Plaza Petöfi. Yo, cuando viajo a Budapest, soy adicta. Obviamente, el personal me cala enseguida, nada más entrar. Me ven el vicio en la mirada y la decadencia de Occidente en el porte. Y aquello se convierte al instante en un concierto de cremalleras. A veces da la impresión de que lo tienen hasta ensayado. Unas suben, otras bajan, y todas acaban deteniéndose con tiempo para enseñar los tesoros de cada cual. El resto es ya un problema de osadía y de virtuosismo. Hay maravillas que apenas saben exhibirse y cuyos dueños, desafortunadamente, hablan, preguntan algo, parecen impacientes por escapar de allí, seguramente te preguntan si tienes algún lugar adonde llevarles. Pobrecitos, no tiene nada que hacer. Los lobos mudos les comen el terreno. Cercan a la forastera con sus grandes rábanos hinchados, y la forastera, que tiene muy asumido que la conversación es como el bromuro, se pone ciega de mamar. No sabéis, nenas, el sabor tan homogéneo que tiene la verdadera leche socialista.

En los retretes aerodinámicos del aeropuerto de Singapur, por el contrario, la leche es confusa y, lo que resulta muchísimo peor, políglota. Una vez se la chupé allí a un libanés que iba en tránsito y terminé con un zumbido en los oídos que creí que me estallaban; el degenerado se pasó toda la faena mascullando frases que sonaban como ultimatums. También se la mamé, con absoluto esmero, a un holandés gigantesco y barbudo que trabajaba en el sultanato de Brunei, pero el tío, en el momento de correrse —momento que prolongó con mucha habilidad— se lió a cantar un polca en neerlandés y yo perdí el ritmo y estuve a punto de asfixiarme, temí que tuvieran que hacerme una traqueotomía. Desde luego, nada en comparación con lo que tuve que sufrir con un coreano precioso, componente del equipo de boxeo de Corea del Sur, una verdadera estatua de rasgos exóticos y fuertes, de músculos pétreos, de nalgas marmóreas, de nabo brioso y descomunal; el muy autómata, sin que yo me diera cuenta, porque estaba muy ocupado con pasarle la lengua de la manera más refinada que conozco por el borde grana del capullo, sacó un diccionario coreano-inglés y empezó a soltar, como una máquina tragaperras, palabras que a él debían excitarle y que rimaban: *prick, milk, silk*... Cogí un complejo de robot que estuve mes y medio lavándome los dientes con sidol y haciendo gárgaras con vaselina.

Otra cosa es el aeropuerto de Bruselas, tan absurdo y desangelado como toda la ciudad. Aquello está siempre infestado de ejecutivos como una servidora, y yo a un ejecutivo no se la chupo ni amenazada de muerte. Que se las chupen sus secretarias, que para eso están. Los retretes, además, están en obras cada dos por tres, yo no he visto otro aeropuerto en el mundo donde los retretes necesiten tanta reparación. Pero una vez, sólo una vez, ocurrió el milagro. Era un turco treintañero que volaba a Riad. Nos entendimos a la primera mirada. Enseguida se pasó una lengua llena y esponjosa por los labios, bajo un bigote demoledor, y se metió la mano izquierda en el bolsillo del pantalón. Para llegar a un retrete que no estuviera en obras tuvimos que andar como cinco kilómetros. Por fin encontramos una cabina donde encerrarnos. Se bajó el pantalón —no usaba calzoncillos, qué morbo— con perfecto dominio del protocolo y, antes de que yo humillara la testuz, se presentó con mucha formalidad: «Mi nombre es Tarek», lo dijo en un francés muy educado. Demasiado educado. Yo me esmeré, entre otras razones porque el rabo de aquel bandolero de veras que se lo merecía, pero a él casi no le mudó la cara. Parecía de lo más acostumbrado. Me dijo escuetamente: *Merci*. Abrió la puerta, mientras yo todavía me limpiaba las salpicaduras de las comisuras de los labios con el dorso de la mano, con absoluta despreocupación. Encontramos los retretes muy concurridos. Todos ejecutivos encorbatadísimos. Todos, sin excepción, le saludaron afectuosamente, en francés: *Bon jour, Tarek*. Y entonces comprendí, anonadado, que a Bruselas sólo van ejecutivos que no tienen secretaria.

Más les valiera irse a San José de Costa Rica. Allí, en cuanto baja del avión un ejecutivo con pinta de europeo, medio censo aparentemente masculino del país se pone frenético. La Marcuse dice que es un problema de hormonas, pero yo estoy segura de que es un fenómeno lingüístico. Un país donde a las discotecas las llaman discotecs y a las putas percantas, no tiene salvación. Al coño le dicen papayita, y ya sólo pronunciarlo da dentera. Así andan todos, vestidos como en los sesenta, con la ropa pegadísima al cuerpo. Hasta los policías. A los policías, de apretados que van, se les marca hasta el alma, cualquiera con un poco de vista sabe el que está en pecado mortal, el que está en pecado venial, el que está en gracia de Dios. Siempre que voy a Costa Rica me salen tantas novias con pantalones y con un peine enorme en el bolsillo de atrás, que me voy inmediatamente a Managua a darle gusto a los sandinistas.

En el aeropuerto de Acapulco, todos los chulos que te salen al paso tocándose la bragueta te cuentan que son clavadistas, pero, hasta encontrar uno con bayoneta suficiente para que te la clave bien, pierdes los tacones.

En el aeropuerto de Lima los retretes están cochambrosos, pero los aduaneros se empeñan en encerrarte allí para registrarte. Mientras te meten el brazo hasta el codo por la puerta de servicio, te birlan todo el joyerío, pero con la emoción es que ni te enteras. Como ya me lo sé, ahora siempre aparezco por allí cargada de kilos de bisutería y me concentro sólo en disfrutar.

En el aeropuerto de Bogotá, los empleados de la limpieza, en cuanto descubren que eres española, te piden que les des recuerdos de su parte al señor embajador. A la salida, cuando les dices que has cumplido su encargo, que el señor embajador se acuerda perfectamente de ellos, te llevan a empellones a los retretes y te juran que tampoco tú los olvidarás jamás. Con toda la razón del mundo.

En el aeropuerto de Panamá, los policías son como los de San José, pero casi siempre mucho más negros, y mientras te la meten, en los retretes reservados al personal militar, tratan de venderte a precios astronómicos postales del Canal «que los jodidos gringos quieren robarnos». Servidora tiene ya como tres mil postales y, teniendo en cuenta cómo me dejan esos negrazos de floja y de dilatada la compuerta, estoy pensando en meterme en negocios con Washington para que sus barcos, cuando haga falta, me pasen por ahí.

La ventaja en Iberoamérica es que todos te hablan español y, mientras te trajinan, puedes escucharlos como quien oye llover. De esa manera el desavío y los estragos no son tan grandes.

Pero, en otras ciudades perdidas por esos mundos de Dios, lo del lenguaje puede desbaratar la historia más hermosa.

En el aeropuerto de Honolulú, cuando llegas, ideal de modelazo, toda veraniega y estampada, los encargados de la recepción y de enseñarte a decir «Aloa» como una cotorra, piden a las mujeres que se pongan a la derecha y a los hombres a la izquierda, para que un caballero y una señorita en taparrabos les coloquen las guirnaldas de rigor. Las mariconas más atrevidas se colocan en el centro y para ellas a veces no hay guirnaldas. En venganza, se niegan a decir esa chorrada de «Aloa» hasta que no les frían una buena banana en la sartén. Chantaje lingüístico se llama eso y a mí me parece tema ideal para una ponencia en un seminario de semiótica. Desafortunadamente, en todo Hawai si no dices «Aloa» como una starlette salida no te comes una rosca. Yo es que no lo entiendo, no me explico cómo se las apañan. Allí eso de «Aloa» es como el número clave de tu tarjeta Visa para los cajeros automáticos, si no sabes decirlo *comme il faut* olvídate de perforaciones. Así que hasta las mariquitas más atrevidas y dispuestas, más temperamentales, tienen que sucumbir, tienen que pasar por el aro, dicen «Aloa» como cotorras frenéticas y sólo entonces tienen derecho a que un nativo con un rabo hasta la rodilla o un surfista de polla mecánica les desatasque los bajos. Si alguna vez tenéis la oportunidad de ir, por cierto, no os perdáis las duchas que hay en la playa de Wikiki, cerca de la primera escollera, nenas, allí acaba una chupando hasta las tablas de hacer surfing.

Claro hijas, que no hace falta plantarse en Hawai y alquilar un bungalow junto a Imelda Marcos para tener que sufrir las servidumbres del idioma. Karachi, por ejemplo. Una piensa: en un sitio tan imposible como Karachi si no te entiendes hablando, ladras, y seguro que eso impone un respeto. Ni lo soñéis. Claro que, en honor a la verdad, servidora no tuvo que vérselas con un indígena, pero supongo que hubiera sido lo mismo. Qué viajecito, guapas. El avión —un Boeing 727 de la KLM— hacía el trayecto Auckland-Amsterdam con escalas en Singapur —donde subieron pasajeros procedentes de Bangkok, Yakarta y Kuala Lumpur—, Nueva Delhi y la susodicha Karachi. Al despegar de Singapur le estalló un motor y, tras el consiguiente aterrizaje de emergencia, tuve ocasión de intimar, en un hotel de Orchard Road donde pasamos la noche, con un mocetón holandés que trabajaba de mecánico de grúas en Wellington. Nada me hubiera importado tener un hijo suyo. Al aterrizar en Karachi, al avioncito volvió a jodérsele otro motor. Una noche en el culo del mundo, en un hotel alucinante. Yo no podía pegar ojo en aquella habitación húmeda que tenía la taza del retrete junto a la cabecera de la cama, de modo que me salí a la piscina, a intentar dar una cabezadita en alguna de las tumbonas de plástico que había allí. Pero yo no fui el único en tener la genial idea. Allí los encontré. Dos negrazos enormes de Cabo Verde, que venían en el avión, con un grupo de gallegos, después de haber hecho en Yakarta el relevo de tripulación de un petrolero propiedad de una naviera de Rotterdam. Estaban desvelados. Hacía un calor de muerte. Se habían quitado la camisa y se habían desabrochado el pantalón. Yo me tumbé, nada lejos. Hice verdaderos esfuerzos para no incorporarme. Inútil. Tenía que verlos bien. Tenía que intentarlo. Me saludaron. Me pidieron un pitillo. Me acerqué. Les miré de arriba abajo con brutal intensidad. Me sonrieron: toda la noche era una blanca dentadura. Les sonreí con los labios húmedos, brillantes. Ellos se llevaron, casi al unísono, las manos a la armería. Y yo hice, en tierra firme, el salto del ángel. Me metí la de uno en la boca, hasta donde me entró. Sabía a langosta. Me bajé las bragas de un tirón y el otro me metio su bogavante hasta donde le cupo: entero. Qué felicidad. Pero entonces empezó a ladrar un perro en el interior del hotel. Uno de los negros me dijo, en español, tú tranquila. Y empezó el tío a ladrar. Los dos ladraban mientras me follaban viva. Ladraron hasta que el otro perro hijo de puta se calló. Luego, los dos se corrieron por tercera vez. Y, cuando servidora se dio por vencida, mis dos machazos del color de la madrugada se abrazaron conmigo en medio y el que hablaba español me pidió, feroz: ladra. Y yo ladré, guapas. Aullé. Una perversión del lenguaje.

En el aeropuerto del sultanato de Muscat, sin embargo, donde hacen escala algunos vuelos europeos con destino al Sudeste Asiático, te recibe una compañía entera del ejército, en un silencio sepulcral y armada hasta los dientes. En cuanto parpadeas, se te echan encima como chacales, me advirtieron. Naturalmente, nada más poner pie en la pista empecé a parpadear como una desesperada. Sólo conseguí que uno de aquellos beduinos me tocara la grupa con su metralleta y me diera a entender con la mirada que en ningún lugar del mundo encontraría aquel blanco mejor munición.

Ni siquiera en Katmandú. El aeropuerto de Katmandú está construido sobre un tajo hecho en la montaña, de manera que cuando aterrizas estás convencido de que te la pegas. Luego, pasado el susto, Katmandú te enamora y te relaja horrores, sobre todo si llegas de un viaje a la India. En Nepal parece que te falta nada para evaporarte, pero yo tuve la suerte de descubrir el cuartel de la policía, en las ruinas maravillosas de un templo, y sólo tuve que ponerme en posición para que estuviesen a punto de evaporarse para siempre todas las fuerzas de orden nepalíes.

Y sin decir ni palabra, nenas. El rapto del lenguaje.

Claro que, ahora que lo pienso, el señor jefe de la policía del estado de Georgia, que me estará escuchando, lo mismo piensa que de los

United States nadie tiene nada que decir. O que servidora, por lo menos, no sabe nada. Pues anda lista. Desde luego, los retretes de los aeropuertos yanquis no colaboran nada; a las primeras de cambio, todo el mundo se enzarza en una conversación multitudinaria, y los altavoces por donde anuncian las salidas y llegadas de los vuelos suenan ahí mucho más fuerte que en ningún otro sitio. En los retretes de las estaciones de autobuses, sobre todo en algunos pueblos, a veces surgen oportunidades, pero el susto que servidora se llevó en la estación de Greyhound de Los Angeles, en la calle novena, no me lo he llevado en ningún sitio. Alrededor de los retretes que hay frente al último hangar, había merodeadores. Un par de negros espectaculares. Un tipo esmirriado con pinta de pastor evangelista. Un teenager hispano, precioso. Una mariquita oxigenada y con manicura total, que estaría convencida de ir divinamente disfrazada de proletaria, la pobre, pero atufaba de lejos a Beverly Hills. Un muchacho muy aseadito y con pinta de programador de ordenadores, absolutamente prometedor. El se fijó en mí. Esa clase de mirada provocadora, la suya, que no resisto. Se metió en el retrete. Le seguí. Pero cuando entré, aquello estaba vacío. Nadie en los meaderos. Los cagaderos, con puertas de saloon de película de John Wayne. Una luz malísima. En el último cagadero de la fila se veían unos pies. En una postura rara. Con las puntas de los zapatos casi pegados a la pared de la derecha. Servidora, cómo no, de cabeza al cagadero de al lado. Las paredes llenas de agujeros, hijas. Y por uno, como la serpiente del paraíso con la manzana colorada en la boca, asomaba un pedazo de nabo que todavía, cuando lo recuerdo, me castañean los dientes. Loca me volví. Enseguida me puse perdidas de caliche las pestañas. In-put, in-put, in-put. Hijo de puta. De pronto, el filo de una navaja en la yugular. Ni un grito. Ni una palabra. Me tiraron al suelo de un empujón. Perdida me puse. Boquiabierta me quedé. Estupefacta. El de la navaja era el esmirriado con pinta de pastor evangelista. Qué dedos. Me lo quitó todo en un santiamén, con la navaja apuntándome al corazón. Qué canallas, señor policía. Dígame: por muchas leyes que tengan ustedes contra las mariquitas, ¿quiénes son los verdaderos delincuentes? Me siento yo como Paul Newman en Veredicto Final. Aquel guapito de cara me engañó bien: me citó de dulce, no con una muleta, con un capullo encendido. Y servidora entró al trapo como una burra. Qué coraje. Ni siquiera me atreví a chillar. El de los ordenadores y el pastor evangelista desaparecieron juntos en un suspiro. Menudo polvo echarían para celebrarlo. Y, mientras, servidora contándole sus penas a los dos negrazos espectaculares y al chicanito con cara de querubín, que se comportaron como verdaderas hermanas. Me invitaron a un Seven Up para que se me calmaran los nervios e hicieron una colecta para que pudiese tomar un bus hasta mi hotel. El chicanito me acompañó, sin segundas intenciones, y la criatura hablaba por los codos. Diarrea de la boca, le llaman ellos.

Todo lo contrario a lo que me ocurrió en Santa Bárbara. Esto es lo último, señor policía. Esto es para terminar. Hay que ver lo que cunden estas casetes si uno habla un poquito de prisa. Si uno es conciso. Me cabe. Quiero decir, me cabe esta historia. A mí me cabe de todo. Me refiero en el magnetofón. La colita, por supuesto. Por algo me llaman Colet. Para lo que me hace falta...

Ya sé que esta última historia a lo mejor no hace falta. Pero es un epílogo sensacional. Idóneo a tope. Mudo. Mudísimo. Ocurrió, como le iba diciendo, en Santa Bárbara. Adoro esa ciudad. Adoro esa playa donde todo el mundo juega al vóleibol. Qué cuerpos, nenas. Qué brazos. Qué manazas. Bizca me paso yo el día entero cuando estoy allí. En la playa tengo, desde luego, mi zona favorita. Se llena de muchachos de bandera. Arman un jaleo espantoso, eso sí. Yo creo que por eso no conseguía nunca comerme una rosca. Demasiado griterío mientras pasaban la pelota de un lado a otro de la red. Qué chillidos. Qué risas. Qué raro, me dije. De pronto, me veo yo absorta frente a un partido de vóleibol donde nadie decía ni mu. La gloria me pareció aquello. Todo brillaba mucho más. La red. La pelota. Los brazos. Las manos. Los torsos. Los pectorales. Los culos. Los muslazos. Los pies. Los paquetazos pendolones. Ni me di cuenta de cómo pasaba el tiempo. Se hizo tardísimo. La playa se fue quedando medio vacía. Y aquellos jugadores como si nada. Como si estuvieran fuera de este mundo. Hasta que de pronto uno miró el reloj. Las ocho. Un horror. El del reloj hizo un gesto definitivo. Vámonos. Todos la mar de disciplinados. Ni se fijaron en mí. Pero servidora se fue detrás de ellos, faltaría más. Hasta un bar un poco estúpido. Demasiado alboroto. Allí no eran nada, francamente. Allí eran del montón. La música altísima. Dos de los muchachos de mi grupo se hicieron señas. Los más guapos. Se iban. Se despidieron. Esos eran los míos. Salieron. Les seguí. Suspense. Telegráfica que es una, nenas, nada de adornos. Y, cuando me fui a dar cuenta, estábamos los tres en un bar que yo me sabía de memoria. Un bar de locas, claro. Casi se me saltan las lágrimas de la emoción. Van a ser míos, me dije. Que me vieran. Tenía que intentar que me vieran. Me vieron, naturalmente, menuda es Colet para llamar la atención. Al más rubio de los dos le caí bien al primer vistazo. Me sonrió. No es que estuviéramos demasiado cerca. Aquello estaba de bote en bote. Siguió sonriendo el más rubio. Yo sonreía como la puerta de un garaje y, claro, el otro también acabó por darse cuenta. Empezaron a hacer gestos. Qué gestos. Abrían la boca, se ponían el puño cerrado delante y lo movían como si estuvieran tocando la trompeta. Estaba clarísimo. Se morían por que alguien se las mamara. Y yo que sí, claro, que allí había una voluntaria. Y ellos, sin parar. Y venga a moverse de cintura para abajo. Yo, cardíaca. Horrorizada. Un poco horrorizada, quiero decir. Aquello era pasarse un poquito, la verdad. Tenía que acercarme. A ver si paraban. Tenía que abrirme paso a codazos en aquella jungla de hermanas. Si mis dos pretendientes no paraban, se iba a dar cuenta todo el mundo. Un corte. Un peligro, si había por allí policías disfrazadas. Mejor que me lo dijeran al oído, sin tantísimo aspaviento. Bastaría una sola palabra. Ni una. No dijeron ni una, nenas. Ni pío. Me puse a un palmo de la pareja, y ellos siguieron tocando la trompeta. Como antes. Sin decir ni mu. Sordomudos. Eran sordomudos, nenas, y me echaron los brazazos por los hombros, como si servidora fuera profesora de morse.

Eran sordomudos, señor policía, y el más rubio vivía en un apartamento precioso cerca de la Misión. Dormía en una cama de agua, todo muy sibarita, pero la cama no la usamos en absoluto. Entramos en la cocina y se sentaron, el uno junto al otro, en unos taburetes altos, de esos que hay en los bares. Se sentaron dándome la cara y ni siquiera se bajaron los calzones de deportes, se limitaron a sacárselo todo por los perniles, sonriendo mucho, y uno de ellos puso en marcha la licuadora. No sé lo que se harían, yo no tuve tiempo de mirar, cómo me puse: plátanos con miel blanca, cojinetes como ciruelas de California, muslos abultados como racimos de uva de la tierra, rodillas redondas como melones, tobillos como peras de agua, talones como brevas maduras, nalgas duras como el acento de Texas, y otra ración de brevas, otra de peras de agua, otra de melón, otro racimo de uvas, otra vez ciruelas de California y otra vez los plátanos llameantes y bañados en chantillí. Y en silencio. En un silencio divino. Sin que se oyera ni una sola palabra. Sólo se oyó, durante todo el rato, el sonido de la licuadora, y, cuando terminé con ellos y levanté la cabeza, la licuadora paró y el más rubio me ofreció su maravillosa sonrisa y un gran vaso de batido de frutas.

En silencio. Todos calladitos, señor policía. Sin que nadie hiciera comentarios. Sin el estorbo o la traición del lenguaje. Y puedo juraros, nenas, puedo jurarle, señor policía, que después del banquetazo que me di hubiese dejado con gusto que me cortasen la lengua. Apagón informativo lo llamaría yo.

4

Donde Finita Languedoc, también conocida como la Lujos, hace un elogio melancólico y elegantísimo de la madurez y del esplendor de los buenos tiempos, y consiente en revelar su secreto más querido por tratarse de una narración oral

Cuando mamá enviudó, yo tenía catorce años y era bellísimo. Cuando queráis, os enseño fotos de la época y veréis a un adolescente de dorados bucles y ojos glaucos, muy aniñado y deliciosamente equívoco, vestido siempre con verdadero primor por unas niñeras impecables, de uniforme negro y albos delantales concienzudamente almidonados, botines de charol, graciosísimas cofias de blanquísimo piqué, y siempre peinadas con un discreto moño bajo lleno de horquillas. Antes de enviudar mamá, en casa hubo siempre una camarera para su uso exclusivo —la despertaba, le preparaba el baño, el desayuno, las batas y los peinadores, los vestidos, los zapatos de casa, de calle y de salón, el material de su escritorio, su correspondencia, su agenda de notas para los actos del día— y una niñera para mí; tras la muerte de papá, a la niñera la despidieron y la camarera de mamá tuvo que pasar a ocuparse también de mí, con serias dificultades de entendimiento por ambas partes.

—Se me está quemando la paciencia —acabó por decirme un día, muy nerviosa, y después de mostrarse particularmente desafortunada en la tarea de arreglarme para dar un pequeño paseo por la Alameda Vieja—. Por lo que se ve, contigo no acierto nunca. Eres muchísimo peor que tu madre, que ya es decir. Y, ¿quieres que te diga una cosa?: Sería preferible que te vistieras de una vez de niña, y así todos sabríamos a qué atenernos.

Os aseguro que no era para tanto, pero en aquel tiempo las criadas con ínfulas ya empezaban a permitirse el lujo de ponerse histéricas por cualquier cosa. En respeto y en modales, la verdad es que hemos perdido un horror. Reconozco que yo era un niño meticuloso, fascinado por las cosas hermosas, intransigente en lo que se refería a mi atuendo, con una especial debilidad por los cuellos y los puños de encaje —que encontraba terriblemente favorecedores— y maniático en lo referente a la ropa interior, que tenía que ser en todo momento delicada y lujosa —no esos calzoncillos y camisetas zafios que usaban los demás—, pues de lo contrario me sentía vulgar, molesto, indecente; pero la camarera de mamá tenía que estar acostumbrada a esas exigencias, pues estaba claro de quién heredé la sensibilidad refinada y el carácter firme, y si yo, en algún momento, llegaba a extremos algo antipáticos no era, desde luego, por maldad, sino por estética. A este respecto, el lema de mi familia era diáfano: la servidumbre debe siempre conocer a la perfección y amar con devoción sus tareas y obligaciones.

Cierto que a mamá la viudez, y el repentino deterioro económico, la sumió en un estado de ansiedad que alternaba, a velocidades nada científicas, la depresión con una actividad compulsiva. Los baches depresivos se empeñaba en proclamarlos tocando lánguidamente el acordeón

—instrumento para el que había demostrado desde pequeña una facilidad espantosa, y de nada sirvieron centenares de maestros de piano que nada pudieron hacer para ahogar o encauzar aquel ramalazo populachero que cristalizaba en un instrumento semejante—, y en la fase activa se desesperaba por toda la casa, encontrándolo todo estropeadísimo y sin dinero para poder reemplazarlo. Debo advertir, no obstante, que la penuria económica no era consecuencia directa de la muerte de papá, sino resultado de un traspiés terrible que el abuelo —el papá de mamá— tuvo en los negocios. En aquella casa, que era la de la familia, siempre se vivió con el dinero del abuelo y de acuerdo con los resultados de su bodega y de sus magníficos vinos de marca. Pero aquel año, desdichadamente, todo se fue a pique y papá, al morir, no dejó absolutamente nada —porque no dio golpe en su vida—, y ni siquiera deudas —porque siempre tuvo la previsión de pedir que enviaran al abuelo todas sus facturas. Mamá, hija única, educada en el aprecio de lo exquisito, que resulta siempre carísimo, y en el amor al arte y a la cultura, que si es buena y un poquito exclusiva también cuesta un dineral, no tenía la pobre más desahogo que el acordeón o el martirizar a la camarera, según su estado, y la camarera, por lo que se veía, trataba de desahogarse conmigo. Todo muy desagradable.

El vestuario de luto de mamá no tuvo más remedio que ser modesto, aunque bien es cierto que la camarera sabía su oficio y mamá tenía distinción y empaque de sobras —además del máximo prestigio en la ciudad, como mujer elegante— como para que los resultados no fueran, ni mucho menos, deplorables, lo que ni ella ni yo hubiéramos podido resistir. Con todo, limitó al máximo y seleccionó rigurosamente las visitas que los jueves por la tarde recibía en el gabinete que daba al jardín contiguo a las cocheras, y al cabo de dos meses ordenó que sólo dejaran pasar a María del Carmen Marín, una soltera de la edad de mamá y amiga de ella de toda la vida. María del Carmen Marín quería que su apellido se pronunciara «Magán», a lo francés, dado el origen galo de su familia. Esto constituía un elemento más de afinidad con mamá, pues mi apellido materno también es de origen francés y nuestro árbol genealógico arranca de los Languedoc. María del Carmen Marín, además, era una intelectual, muy culta, hablaba un montón de idiomas, escribía versos y publicada a veces primeras páginas en el ABC de Sevilla. Muchas tardes, después de merendar, ella leía poemas mientras mamá ejecutaba la *Sonate für Akkordeon* de Kaspar Roeseling, o la *Danza di gnomi*, de Fugazza, las dos únicas piezas que, en aquella época, se creía capaz de interpretar con virtuosismo.

A mí también me vistieron de luto con unos trajes espantosos, y durante cinco meses apenas pude salir de la casa —incluso dejaron de venir mis profesores particulares de francés, de violín y de esgrima—, y sólo de vez en cuando salía con el abuelo a pasear, en el soberbio coche de caballos conducido en el pescante por el cochero Julián, por la parte nueva de Jerez, hasta La Rosaleda y El Bosque. Mi abuelo, el pobre, estaba muy nervioso y no paraba de rascarse la entrepierna, donde tenía un bulto enorme y siempre duro, pero íbamos siempre con las cortinillas de las ventanillas del coche bajadas y nadie le podía ver.

Papá murió en enero y, cuando llegó el verano, se planteó la necesidad de renovar el vestuario y la conveniencia de aliviar el luto, al menos el mío. Aquel año, además, hizo muchísimo calor y llegó muy temprano y de golpe, de manera que todas las ventanas y puertas de la casa se pasaban el día entero abiertas de par en par, para hacer corrientes; bueno, todas menos la puerta del gabinete de mamá, los jueves por la tarde, cuando venía de visita María del Carmen Marín.

Yo estaba horrorizado ante la perspectiva de tener que soportar un vestuario de verano pobre y escueto, sin gracia, sin adornos —que son los adjetivos de la ropa, los que le dan lirismo y categoría—, sin encajes ni filos de terciopelo. De sólo pensarlo sentía yo que me entraba una septicemia. Yo necesitaba solucionar aquello como fuese, porque si no podía morir. Tenía que haber alguna solución. Además, en verano no hacía falta tanto material para hacerse ropa bonita y diferente, y a fin de cuentas no era necesario mucho dinero para conseguirlo, sólo un poco, y para el resto ya pondría yo inspiración, sentido plástico, creatividad.

Sin ir más lejos, la camarera estaba hasta graciosa con su uniforme de verano, mucho más ligero y relajante para la vista que el de invierno, tan severo y solemne. De hecho, con el uniforme de invierno, la camarera no hubiera hecho nunca lo que yo le vi hacer, ciertamente un poco de refilón, un jueves por la tarde. Estaba en una postura de lo más vulgar, fisgoneando por el ojo de la cerradura de la puerta del gabinete donde, desde hacía un rato, ya no sonaba el acordeón ni se escuchaba la voz de María del Carmen Marín, recitando poemas. Se oían unos jadeos extraños, muy femeninos, y la camarera tenía la mano derecha entre las enaguas, moviéndola a un velocidad que parecía que le hubiera entrado de pronto un parkinson. Salió corriendo, muy sofocada, cuando me vio, e iba por la galería pegando grititos como si se estuviera haciendo pipí y no pudiera aguantarlo más.

Con el uniforme de invierno, la camarera parecía una abadesa, era un uniforme que irradiaba formalidad. Con el de verano parecía, a simple vista, que la mujer era incluso capaz de divertirse un poco, aunque en su caso era preciso reconocer que no fue necesario gastar ni un duro, mamá echó mano del uniforme del año anterior y la camarera no se atrevió a rechistar, aunque, quién sabe, a lo mejor por eso empezó a hacer aquellas cosas tan raras. En mi familia siempre hemos sido hipersensibles para las cosas del atuendo y yo creo que eso se acaba contagiando al servicio. Lo que no sé es si también se contagian otras cosas, pero, por poco y anecdótico que fuera, eso ya me parecía una catetada y un abuso.

De todos modos, yo empecé a sospechar que a la camarera se le había contagiado algo especial de mamá y de María del Carmen Marín, porque los jueves por la tarde mi casa empezó a convertirse en una especie de puchero en ebullición. Mamá se había hecho un par de camiseros rotundamente negros, que quizás porque fueron cortados y cosidos por la costurera que iba a casa, desde hacía siglos, tres veces por semana, para la costura pequeña —todavía se me encoge el corazón cuando pienso en la humillación que eso tuvo que significar para mamá—, le hacían una figura insospechada, digamos que no elegante, claro, como cualquiera puede comprender, porque hubiera sido un milagro, pero sí muy, pero que muy glamurosa, una figura algo popular, lo reconozco —la prueba está en que Julián, el cochero, en cuanto la vio se quedó estupefacto—, una figura a lo mejor poco depurada, nada sofisticada con aquellos modelitos escrufulosos, pero tan sensual y tan impaciente que fue como una catarsis. Yo no sé si el clima en mudanza, la congoja de mamá, el perpetuo estado de erección del abuelo, la virginidad de María del Carmen «Magán», el progresivo descaro de la camarera o mi propio desconsuelo tuvieron algo que ver, pero algunas de las más acreditadas costumbres de la casa sufrieron en aquel verano un cambio radical, y siempre he pensado que el detonante estuvo en los dos camiseritos caseros que mamá estrenó.

Reconozco que la comparación que hice antes del puchero en ebullición es un poco ordinaria, impropia a todas luces de una familia con raíces en los Languedoc. Diré, para que resulte más adecuado, que era como si el aire de toda la casa se hubiese llenado de zumbidos de abejas o de zureos de palomas en celo. Una atmósfera enervante, en definitiva.

Los días iban rodando sobre ellos mismos con una lentitud desesperante, y el calor no aconsejaba el inicio de cualquier actividad física o mental que sirviese para acortar las horas. El almuerzo acabó convirtiéndose en un rito molesto e hiriente, pues casi toda la comida se quedaba en los platos y al abuelo, como cabe imaginar, se lo llevaban los demonios. Todos nos retirábamos para la siesta, y durante poco más de media hora en la casa reinaba un sosiego que parecía que estuviese fermentando.

A eso de las cuatro, mamá empezaba a tocar en el gabinete la *Sonate für Akkordeon* o la *Danza di gnomi*. Ni el calor ni la crispación ambiental lograron nunca hacerle desistir. La música, perfecta, lo arañaba todo con la altivez de una sacerdotisa de Osiris. La verdad es que nadie llegó a manifestar en ningún momento queja alguna, pero, al menos a mí, aquellas melodías, en las febriles tardes del verano, me atacaban los nervios. Me arrastraba, medio sonámbulo, fuera de mi habitación, en busca de un poco de alivio en cualquier lugar de la casa donde, eventualmente, pudiese encontrarse un poco de frescura. Así fue como llegué al pequeño jardín interior que conducía a las caballerizas y como descubrí, asombrado, cómo Julián el cochero, completamente desnudo, se asomaba a la ventana principal de las caballerizas —una ventana baja cuyo borde inferior le llegaba al hombre a medio muslo— y escuchaba ansiosamente la interpretación de mamá, con la mirada fija en el balconcillo del gabinete, mientras se meneaba con frenética veneración, y hasta derramar su blanco y jugoso contenido, aquel miembro viril que yo veía por primera vez y que era digno de una oda.

Como es lógico, no le confié a nadie mi descubrimiento, pero, a partir de aquella tarde, procuraba siempre salir de mi habitación y esconderme hábilmente en el jardín antes de que el acordeón de mamá comenzase a tocar.

Todo se repetía, cada tarde, con una precisión casi aterradora. Comenzaba la música y Julián, como impulsado por un resorte, se asomaba en cueros vivos —hermosos cuarenta años los de aquel hombre— a la ventana de las caballerizas, entraba enseguida en una especie de trance, con la mirada arrebatada por cualquiera que fuese desde allí la visión del gabinete, y se masturbaba con auténtica ferocidad ante mis ojos incrédulos y ya seducidos para siempre. Siempre he tenido muy claro, desde entonces, que nunca sonó mejor música para mejor instrumento. Luego, cuando Julián vaciaba los odres de su virilidad y se retiraba precipitadamente de la ventana, la sonata para acordeón o la danza de los gnomos perdían al instante tersura y brillantez, pero estoy convencido de que eso sólo lo apreciaba yo.

Por supuesto, ahí no terminaron las novedades. El primer jueves posterior a mi descubrimiento, la visita de María del Carmen Marín añadió algunas sorpresas al encuentro, en brazos de la música, entre mamá y Julián. Como cabe suponer, yo estaba terriblemente intrigado por comprobar si, con la presencia de la «Magán», el cochero se atrevería a exhibir sus magníficos atributos y a masturbarse en la ventana. Era una intriga sin sentido, porque cualquiera menos aturdido que yo hubiese comprendido que aquel hombre actuaba en estado de inconsciencia, en éxtasis, en un delirio imposible de controlar. Pero la Marín, aparte pequeñas excentricidades propias de una mujer de letras, me pareció siempre una verdadera dama y, por añadidura, ella no debía soportar situaciones tan desconcertantes como llevar luto, soportar estrecheces económicas o verse obligada a vestir camiseros de artesanía capaces de revolverle las glándulas a la señora más irreprochable; ella no tenía la menor justificación para perder la compostura.

Empezó a sonar el acordeón. Julián salió desnudo y repitió su fascinante ejercicio sin la menor vacilación. En la voz de María del Carmen Marín flotaban versos temblorosos de Rabindranat Tagore. Yo sentía de pronto que los músculos estaban a punto de estallarme. Y un pájaro extraño, un pájaro que parecía emparedado vivo en los muros del jardín, empezó a piar como si se hubiera vuelto loco de repente.

Esta vez, sin embargo, cuando Julián terminó y desapareció de la ventana, el acordeón de mamá y la voz de la Marín enmudecieron. Por un instante me pareció que el mundo entero se había quedado mudo. Que el universo se había desintegrado. Tardé un buen rato en reaccionar, en asumir que la vida continuaba, que el fuego nunca arde en el vacío ni se apaga de golpe y que «algo», algo muy especial, estaba sucediendo sin duda en aquellos momentos.

De pronto me vino a la memoria la imagen, en verdad pintoresca, de la camarera en aquella postura tan peculiar, husmeando por la cerradura de la puerta del gabinete, abusando a todas luces de la ligereza y la moderada frivolidad de su uniforme de verano, hundiendo su mano derecha en las enaguas, como si estuviera buscando la fuente de la sabiduría. Eché a correr. Subí de tres en tres peldaños las escaleras, hasta el primer piso. Y, desde la galería, la vi. Allí estaba. Como la otra vez. Como el jueves anterior. Como todos los jueves del verano, a partir de entonces. Mirando por el ojo de la cerradura. Con aquella mano que no paraba.

Traté de gritar, pero apenas me salió un hilo de voz:

—¿Qué haces ahí?

Fue suficiente para que la camarera se llevase un susto terrible. Salió corriendo como la otra vez, como si se estuviese orinando. Y yo entonces me acerqué, y miré por el ojo de la cerradura, y lo vi todo.

Mamá estaba desnuda, sentada en el diván, con las piernas en alto, y María del Carmen Marín arrodillada ante ella, vestida con su camiserito negro, hundía la cara como una fanática en ese lugar donde la mujer es un oasis fruncido. Por el suelo, el acordeón, las viejas y venerables partituras de Roeseling y Fugazza y el libro de Tagore. Y mamá reía y lloraba como una perdida, como una niña feliz, como una dependiente de Simago a la que le han tocado millones en la lotería, como una venezolana en el momento de ser coronada Miss Mundo.

Fue, de verdad, una revelación. Una intensísima experiencia. Todavía ahora, después de tantos años, es como si estuviese viéndolo. Ellas nunca me vieron a mí, aunque quizás adivinaran mi presencia al otro lado de la puerta. Tampoco yo delaté nunca a la camarera, y todos los jueves le permitía mirar durante un rato, antes de preguntar con voz trémula, desde la galería, ¿qué haces ahí?, y espantarla.

Yo, por mi parte, permanecía mirando hasta que mamá tenía una especie de ataque epiléptico y caía como desmayada después en el diván, mientras María del Carmen Marín retiraba un poco la cabeza y la dejaba luego descansar sobre los muslos de su amiga. Entonces, en silencio, me retiraba a mi habitación y me pasaba las horas dándole vueltas a todo aquello. Muchas noches fingía encontrarme indispuesto y, a la hora de cenar, pedía que me llevaran a la cama sólo un vaso de leche. Mamá nunca llamó al médico y el abuelo probablemente no llegó a darse cuenta de que yo no acudía al comedor.

Durante todas aquellas horas, tenía la mente en tensión. Estaba convencido de que había algo que yo no acababa de comprender, algo cuya importancia no terminaba de descubrir. Sabía que estaba delante de mis ojos, pero no era capaz de verlo. Intuía que se trataba de algo que podía tener gran trascendencia para mí, para mi futuro, para el resto de mi vida. Y me desesperaba por no ser capaz de dar con la respuesta.

La respuesta, como suele ocurrir en casi todas las ocasiones, me llegó de pronto, sin causa aparente, tras un repentino y fugaz salto atrás de la memoria que se fijó, por un instante, en un detalle muy concreto de lo que ocurría en el gabinete. María del Carmen Marín siempre llevaba puesto, mientras desataba con la lengua y con los labios la risa y el llanto de mamá, el camiserito negro de artesanía que hacía una figura tan vulgar, pero muy sexy.

La ropa —me dije en voz alta, emocionadísimo—. Claro. El secreto de todo está en la ropa.

Y esa fue la segunda gran revelación de aquel verano. Así fue como descubrí mi vocación. «Languedoc, Haute Coture.»

Claro que una vocación no basta descubrirla, hay que financiarla. Y ahora es cuando voy a volver a revelar por vez primera —por ser para lo que es— mi gran secreto.

Todo empezó durante uno de los paseos con el abuelo, en el coche de caballos, por las afueras de Jerez. Ibamos, como siempre, con las cortinillas echadas, y Julián, en el pescante, se esmeraba en llevar a los corceles a un paso airoso pero relajante. El abuelo estaba todo el rato agarrándose desesperadamente la inflamación. Priapismo agudo, había dicho el médico. Siempre tengo en la cabeza la idea de levantar alguna vez un monumento, en las afueras de Jerez, al superdotado hijo de Dionisio y Afrodita, el del falo inmisericorde.

—Abuelo, ¿qué te pasa?

—Nada me calma, hijo mío. Nada me sosiega. Me muero de dolor.

—¿Ha sido por el disgusto?

—Seguramente.

Decidí que era el momento de indagar frontalmente sobre mis posibilidades. Le pregunté:

—¿Pero no se van arreglando las cosas poco a poco?

—Parece que algo se arreglan, sí.

Creí que era el momento de apostar fuerte y le dije:

—Es que yo necesito comprarme ropa de verano, ¿sabes?

Se puso muy nervioso. Por un momento, temí que lo había echado todo a perder. Pero enseguida me di cuenta de que no se le había puesto una mirada triste, sino llena de ansiedad. Quizás pudiera arriesgarme. De hecho, no perdería nada arriesgando hasta el final. Al abuelo se le iba poniendo una respiración agónica y los ojos cada vez más suplicantes, más rendidos. Yo me puse de rodillas en el suelo del coche —tal y como lo hacía en el gabinete María del Carmen Marín—, coloqué mis manos sobre las rodillas del abuelo, separándolas un poco, y le dije:

—Si te ayudo a tranquilizarte me comprarás un traje, ¿verdad?

No dijo nada. Se desabrochó con manos temblorosas, echó la cabeza hacia atrás y cerró los ojos como si fueran a degollarlo.

Nunca decía nada. Salíamos todas las tardes y Julián, a veces, detenía el coche en un lugar discreto de la carretera de La Parra. Al principio, Julián no miraba nunca, pero luego se fue acostumbrando y un día el abuelo le dio permiso para que entrara. Julián se las arregló, sin ayuda de nadie, para encontrar a mis espaldas el orificio adecuado para solucionar su erección, y en los momentos cumbres tarareaba la danza de los gnomos, que se le daba mejor que la serenata del alemán.

Tuve la fortuna de que los negocios del abuelo se fueron enderezando, efectivamente, poco a poco. Así fue como conseguí un precioso vestuario para aquel verano, y todo el equipo para el invierno siguiente, y para el siguiente, y el traje príncipe de Gales cuando cumplí dieciocho años, y el traje corto para la feria y el Rocío, y un maravilloso traje de faralaes para mis fiestas íntimas, y un traje de noche de lamé de plata con aplicaciones de pedrería que estrené la nochevieja del año en que cumplí los veinte, y el disfraz de Carmen Miranda para los carnavales de Cádiz, y los modelos que lucí en mi viaje de estudios por Italia, y todo el equipaje en la gira de promoción por California, y la colección completa de primavera-verano que presenté hace cuatro años en el Primer Salón de la Moda Joven de Madrid.

Cómo le echo de menos. Nunca le olvidaré. El me enseñó los tesoros de la madurez, los secretos caudales de la ancianidad. Por eso, aunque nadie me crea, me muero por hacerme mayor, me muero por llegar a viejo para poder gozar en plenitud de un muchacho tan hermoso como aquel adolescente que yo fui. Y el que tenga la fortuna de conocerme, conocerá la felicidad y tendrá su recompensa. Y quizás él también llegue a contarlo algún día, por una hermosa causa. Yo lo he hecho ahora por primera vez, y el abuelo lo comprendería.

El abuelo murió en marzo del ochenta y tres. En su lecho de muerte, quiso que estuviera a su lado. El y yo solos. Echó a todo el mundo de su alcoba y me pidió que me inclinara sobre él, para que le pudiese oír. Estaba muy delgado y la colcha que le cubría, sobre su cuerpo, a la altura del bajo vientre, ya no marcaba ni la más leve dureza o hinchazón. Así comprendí y me dolió horrorosamente todo lo que estaba a punto de perder.

El abuelo susurró en mi oído:

—Júrame que nunca le dirás lo nuestro a Gutemberg.

A pesar de parecer algo misterioso, lo entendí perfectamente.

—Te lo juro —le dije—. Contarlo, a lo mejor lo cuento alguna vez, por una buena razón. Pero escribirlo, jamás. Eso es coto vedado.

5

Donde la Madelón, de cuya adicción a la soldadesca habla muy claro su alias, advierte, sin embargo, que ella come de todo aunque se decida, al final, por una bonita versión de las maniobras conjuntas hispano-portuguesas

Señor policía, va por usted. Y espero que le guste; espero que le impacte, por lo menos. De eso se trata.

La verdad es que lo he dudado mucho. No es fácil seleccionar, sabe usted, cuando una es mujer de vida tan intensa. Podría contarle millones de historias, todas fabulosas, millones de aventuras, amores tremendos, revolcones inolvidables. Mire, sin ir más lejos, ayer mismo, cuando volví a casa, tenía en el contestador automático un recado para morir:

—Encanto, el domingo por la mañana llego a Madrid. Espérame. Voy rabiando, mi vida. Te voy a poner el culo como el Peñón de Gibraltar: con la verja de par en par, y hablando inglés.

En cuanto lo escuché me entraron unos temblores y un hervor en los bajos, que ya no se me pasan hasta que ese muchacho cumpla con lo prometido. Naturalmente, no hizo falta que dijera su nombre. Nada más oír la primera palabra le reconocí, y eso que el contestador automático que tiene una servidora ya es un poco antigüito y distorsiona una barbaridad las voces, pero la de Sindo Moreira Carballeira, natural de Redondela y caballero legionario paracaidista, no se me despinta ni aunque se la refrieguen con asperón.

Y ese recado, mire usted, es el que me ha ayudado a decidir. De mi Sindo tengo mucho que contar. Y me gusta contarlo, para que se entere todo el mundo, ahora que está calentito, que dentro de muy poquitos meses se me licencia y, una vez de regreso al estado civil, el viento se lo llevará como a todos, siempre pasa lo mismo. Por supuesto, llegarán otros reemplazos y otros voluntarios y mis cuarteles inferiores son de memoria olvidadiza y muy hospitalarios para con los nuevos reclutas, pero eso no quita para que una no se entusiasme hasta desvariar con lo que tiene y le guste pensar, con toda su alma, que esta vez todo va a ser de otro modo.

Es que a mí un uniforme me pierde, mire usted, no puedo remediarlo. Fíjese, me lo estoy ahora mismo imaginando, señor jefe de la policía del estado de Georgia, con su vestimenta profesional —que me imagino que será como la de los maderos que salen en las películas americanas— y ya me estoy poniendo cachonda, ya estoy empezando a encharcarme. ¿No le hace ilusión? Ande, no se haga el estrecho, déjese llevar, relájese, póngase confortable, apague la luz de su mesita de trabajo, déjelo todo en semipenumbra, asegúrese de que la puerta de su despacho está cerrada por dentro y piense en mí. Piense apasionadamente en mí, cariño mío, siénteme a su lado, convénzase de que me he sentado en sus rodillas, estoy delgadísima, se lo juro, con un tipo ideal, pero con las abundancias que hay que tener, las abundancias que a usted le gustan, las que les gustan a todos sus muchachos, se lo digo yo, a más de uno de sus rubios y grandes y guapísimos muchachos ya me los llevé al huerto, y usted lo sabe, y los envidia, ¿no los ha oído contárselo los unos a los otros?, ya sabe cómo se ponen estos chicos tan jóvenes y saludables cuando se cuentan ciertas cosas, claro que se imagina cómo se calientan cuando hablan de mí, es que no pueden resistirlo, cómo se ríen, cómo bromean agarrándose entre ellos los bultos enormemente hinchados, cómo los más osados se sacan los instrumentos porque no pueden más, sí, aquí mismo, en la propia comisaría, a la hora de la siesta, cuando están de retén, usted lo sabe, usted sabe de sobra cuáles de sus chicos tienen las pollas más hermosas, lo sabe tan bien como yo, algunas es que ni me caben en la boca, puede estar orgulloso de sus chicos, jefe, tienen empuje, tienen unos cuerpazos que parece que usted fue eligiéndolos a propósito, hablan divinamente de usted, le quieren horrores, se ve que están todos ustedes muy unidos, no hay más que fijarse en cómo bromean entre ellos, con qué naturalidad, ya sabe, cosas de hombres, aunque usted sabe que cuando hablan de mí la verdad es que se desbocan, pierden un poquito el control, a lo mejor hay un momento en que les da algo de corte, pero lo superan enseguida, usted los conoce, es que no lo pueden resistir, se ven los unos a los otros con las braguetas abiertas y los enormes y vibrantes lanzagranadas a la intemperie, con las manos nerviosas, con los ojos brillando de ansiedad, y recordando en voz alta lo que disfrutaron conmigo, algunos solos, otros de dos en dos, en pareja, mientras patrullaban, usted lo sabe, conoce lo que ocurre con sus chicos, tan jóvenes, tan fuertes, tan calentones, es natural, y usted sabe lo sensual y lo amorosa que es una mujer como yo, y si no lo sabe está deseando saberlo, necesita comprobarlo, cariño, la Madelón es una experiencia inolvidable, pregúnteles a sus chicos, mírelos, mire cómo no pueden aguantarse, no pueden, por eso se acercan los unos a los otros, forman parejas, forman grupos, se tocan, se la chupan al compañero, me añoran, me necesitan, tienen que arreglárselas sin mí, tienen que desahogarse, es natural, tienen que meterla en caliente, fíjese, mire cómo se bajan los pantalones, de mí han aprendido el gusto que da el beso negro, lo bien que sabe un capullo hinchado, de qué manera tan distinta, tan preciosa, lo ves todo cuando te la meten mientras te follan, mientras se follan entre ellos sin poderlo remediar, usted lo sabe, usted no es tonto, usted también quiere probarlo, claro que sí, por eso estoy aquí, a su lado, sentada tan ricamente sobre sus rodillas, mire cómo estoy, tan mojada, mire cómo me tiene, señor jefe de la policía, qué barbaridad, todo esto es suyo, ¿de veras que todo esto es suyo?, claro que sí, yo me lo imaginaba, yo sabía que no iba a defraudarme, una no se conforma con cualquier cosa, ¿sabe usted?, pero una tiene intuición, un olfato fenomenal, qué bien huele, déjeme a mí, deje que yo le abra la bragueta, así, qué bárbaro, así están de contentos sus muchachos, comprendo que le adoren, qué alegría, por esta maravilla sí que no pasan los años, cuidado, por favor, no vaya a pensarse que le estoy llamando viejo, ni se le ocurra, aquí es donde se ve la juventud, y es usted tan joven, terriblemente joven para ser el jefe de la policía, y qué pelotas, señor, cómo me gustan, cómo me gusta todo, déjeme que me agache, me gusta verlo de cerca, me gusta besarlo poquito a poco mientras voy desnudándome, usted no haga nada, no se mueva, déjeme a mí, no se quite nada, no quiero que se quite la ropa, déjeme hacerlo como a mí me gusta, así, me encanta su uniforme, me encanta esta tela tan fuerte, si se lo mancho un poco no se preocupe, es sólo el flujo, se quita con agua fría, yo es que suelto muchísimo flujo, a chorros, una riada, así tengo el coño de suavecito, ya verá cuando la ponga dentro, no se impaciente, no sea crío, sus muchachos tienen más paciencia que usted, luego le pide a sus muchachos que le hagan una demostración, lo que gusta se aprende pronto, pero ahora déjeme a mí, déjeme que le pase la lengua despacito por las ingles, qué gracia, tiene el vello de punta, qué rico, yo también, señor, yo estoy que me deshago, no sabe cómo tengo ya de abierta mi cerradurita, no sabe cómo tengo de tieso mi pestillito, ande, ahora sí, ahora tóquese usted un poco, tóquese un poco mientras yo me levanto, mientras busco una buena postura, así, quiero que esté usted a gusto, pero no se quite nada, por favor, no se desabroche la zamarra, esto me vuelve loca, me vuelve loca abrazarme desnuda a un tío vestido con un uniforme, qué gusto, qué fuerte es usted, cómo me ha puesto, sí, ahora, con cuidado, con delicadeza, espere, yo me muevo, yo me siento encima, ya, ya me la siento, dentro, hasta el final, señor, así, ahora, ya, avíseme, vida mía, apriete, abráceme, disfrute, sí, disfrute como disfruto yo y dígame cosas bonitas...

Ya está. Ahora estoy más tranquila. Y espero que usted también se haya tranquilizado un poco. Me chiflan los orgasmos. Después de un orgasmo ya pueden echarme encima la Inquisición, y todo el cuerpo de policía del estado de Georgia, que, servidora, ni inmutarse.

Ya me he refrescado un poco el valle de la silicona y me siento como nueva. Yo, desde que leí en los periódicos que en San Francisco hay un sitio al que le dicen así, Valle de la Silicona, estoy pensando en solicitarles que me nombren hija adoptiva. Siempre pensé que sería un sitio lleno de travestis, por el nombre, pero por lo visto de lo que está lleno es de ordenadores. Qué horror. Pero da igual, a mí me sigue pareciendo un nombre precioso, me sigue sonando a paraíso de las mariquitas, y, como me conozco, acabaré haciendo lo que haga falta para que me adopten. Claro que aquí la Cocó, que sabe una barbaridad de la lengua de usted, señor policía —quiero decir de su idioma, no se sofoque—, dice que lo que yo digo es una traducción horrible, que ese sitio se llama de verdad Valle del Silicio, qué cosa más estrafalaria. Para mí, eso del silicio es una cosa de cuaresma, ¿no? [Voz de la Cocó: «Burra».]

En fin, vamos a dejarlo. Haré como que no he escuchado el exabrupto. Haga usted lo mismo, señor. Nosotros, a lo nuestro.

Iba explicándole cómo me emputecen los

uniformes. Y, cuanto más camastrona, peor. Será que con la edad y con el régimen de adelgazamiento me bajan las defensas y tengo que compensar. La edad no sé, porque prefiero no pensarlo, pero el régimen de adelgazamiento, desde luego, será lo que acabe conmigo. Qué asco. Lo odio. Odio andar por la vida privándome de cosas. Me chifla la libertad, soy forofa acérrima de la libertad, eso que no me lo toque nadie. Lo que pasa es que la libertad engorda tanto... Me refiero a la libertad de alimentación, por supuesto, no se me esponje usted. La otra, la fetén, la bonita de verdad, ésa sienta divinamente. No digo yo que no haya que controlarse un poco, señor policía, pero hay que controlarse libremente, no porque usted me ponga una pistola en la sien; ni usted, ni nadie.

Otra cosa que quería aclararle, a propósito de uniformes y de regímenes de alimentación, es que no vaya usted a pensarse que servidora es intransigente. Huy, qué va. En lo del triquitraque, en lo de darle gusto al cuerpo, ni pensarlo. En eso, servidora come de todo. Los uniformes, simplemente, son mi plato favorito.

Para que se haga una idea: en cuanto empieza la temporada del frontón Madrid, mi contestador automático ya se pone en guardia. Todos los lunes, sin fallar uno, recibe el pobrecito mío la misma llamada y me guarda el mismo recado:

—Oye, soy yo. ¿Voy, pues?

Ni una sílaba más, oiga. Ni por Navidades, ni por Reyes, ni en el Aberri Eguna; nada. Además, tendría que oírle el tono en que lo dice, siempre las mismas cinco palabras, como si se pusiera una dentadura especial para decirlas, como si no le hubieran enseñado otra cosa. Por supuesto, tampoco éste hace falta que se identifique. Es el pelotari. Muy buena gente, la verdad, y la mar de agradecido. Con cualquier cosita que una le haga se sale de sus casillas, el pobre. Se llama Jesús Mari, Chusmito de Martutene le dicen en la profesión, y por lo visto es una eminencia; bueno, quiero decir un hacha en eso de la pelotita, un campeón de bastante nombre, usted me entiende. A veces se presenta en mi casa con su botillero —que es su encargado de material, se lo aclaro para que no piense rarezas y porque todos los días se puede aprender algo— y entonces yo me divierto más, para qué voy a negarlo. El botillero se llama Iñaki, como casi todos, aunque éste me parece a mí que es de un pueblo de Zamora que se llama Fermoselle, y es bajito y rechoncho, pero tiene un vicio en el cuerpo y un bote de lilimento entre las piernas que me coge por cuenta, sin reparar en el otro, y servidora acaba cantando «Marina» de pe a pa. La verdad es que ya hace algún tiempo que no se pasan a verme y lo mismo han emigrado, últimamente Chusmito se distraía mucho porque había recibido una oferta para irse a jugar al Jai Alai de Tijuana, en Méjico, y la criatura no sabía qué hacer. Si al final se han ido, me estarán echando de menos, que me han dicho que por allí las mujeres son todavía la mar de clásicas.

De futbolistas, el que mejor recuerdo me dejó fue uno de la isla de La Palma, en las Canarias, que vino a Madrid fichado por el Rayo y se volvió a su tierra al final de la temporada, después de haber jugado doce minutos de suplente en un partido de la Copa del Rey. El pobre, para no perder la forma, se venía a entrenar conmigo. Estaba riquísimo y lo manejaba todo como para que le montaran un están de promoción en El Corte Inglés, pero sufría muchísimas depresiones, como es natural, y al final lo que más le gustaba era acurrucarse a mi lado y besarme la mano por dentro cuando yo le acariciaba.

Claro que él, por lo menos, era un profesional, aunque tuviera aquí tan malísima suerte. De los aficionados, señor policía, que nos libre el señor. Bueno, de los aficionados estoy dispuesta a que me libre hasta la policía del estado de Georgia, mire usted. Escarmentadita estoy. Valiente hijo de puta. Así ha terminado el gachó, no podía ser de otra manera. No es que me alegre, porque a una todavía le quedan algunas entrañas, pero la vida a veces le acaba dando a cada uno lo que se merece. No siempre y no con todo el mundo, desde luego, pero con éste el destino se esmeró. Era un chaval con mucho cuerpo y mucha presencia, muy creído, muy bien plantado, un rubio con gancho, las cosas como son, mimadísimo por su madre soltera, egoísta como el que más, zalamero hasta resultar a veces empalagoso, incapaz de decir una verdad aunque sólo fuera por no crear precedentes, dispuesto a engañar al lucero del alba. Un guarro integral, vaya. Y servidora, a pesar de todo, emputecida con él, lo que son las cosas. Cuando lo conocí me dijo que era futbolista, pero el muy imbécil jugaba con un equipo de barrio y ya con eso se creía Archibald. Follaba fatal, pero una a veces es que pierde el raciocinio. Poco orgullosa estaba yo con aquel novio que llamaba tanto la atención. Se lo enseñé a todas mis amigas, y una, que siempre está remontándose a la Historia —y por eso la llaman la Pretérita o la Marchatrás—, muy admirada, me aseguró que parecía un oficial prusiano, que me parece que es una cosa que dejó de haber en el año catapún. Claro que lo mismo es verdad, cualquiera sabe de dónde era el padre de ese angelito. Un día, por hacerlo corto, descubrí que me engañaba con una loca feísima que se dedica al maquillaje en una peluquería de señoras de tres al cuarto, y rompimos. El muy cerdo, ni inmutarse, al menos en apariencia. Encontró trabajo para ir vendiendo por supermercados leche uperisada, leche semidesnatada, leche desnatada del todo, leche de todos los colores y, al cabo de unos meses, lo destinaron a Málaga. Aquello fue su perdición. Conoció a un alemán casado que tenía un negocio de batidos, se lió con él —y con media población turística maricona de la Costa del Sol— y un día, estando ellos dos haciendo el sesenta y nueve, se presentó la mujer del alemán y descargó un pistolón fenomenal en la cabeza de su marido. Al lechero le afectó en sus partes y creo que los médicos no han tenido más remedio que hacerle una carnicería. Todos salieron en El Caso, en primera página, en unas fotos fatales.

Qué historia más triste, ¿verdad, señor policía?

Odio las historias tristes, no sé qué me ha podido pasar. Cosas que guarda una en el fondo de su corazón y que salen a flote cuando menos se lo espera. Yo no sé si él sigue trabajando en lo mismo, después del escandalazo, pero me imagino que la novia que tenía, la pobrecita, y con la que estaba a punto de casarse, lo habrá mandado a tomar viento. Ojalá no le quede a ella ni la mitad de la amargura y de la soledad que le quede a él.

Alegría, señor policía, alegría, por Dios. Qué manera más tonta de liarme, coño. Si yo no quería contarle nada de esto... Yo quería contarle lo de mi Sindo. Ya verá qué bien. Ya verá qué regalo me tocó en la tómbola de la vida, para que mis heridas cicatrizasen.

La primera vez que le invité a mi casa, y mientras íbamos en el taxi, me dijo, sin importarle nada que le escuchase el conductor:

—Te voy a poner el culo como un bebedero de patos.

Me encantó. Iba ya a mil por hora, bastaba con fijarse en cómo estaban a punto de saltar todos los botones de la pretina de su pantalón, pero además atacaba por derecho, al grano, no con tantas monsergas como el de la leche. ¿Que después me pasaría la bandeja? Naturalmente. Servidora no tiene nada contra darle dinero a una criatura que te ha puesto el cuerpo bien a gusto. Aquí mis amigas hacen muchísimas morisquetas, ponen cara de escandalizarse. Ellas no pagan, dicen. Tururú. A lo mejor no pagan en efectivo, y así se hacen ilusiones de que no necesitan soltar pelas contantes y sonantes para llevarse al catre un monumento, pero que miren las facturas de los restaurantes y de las gasolineras y de las tiendas de ropa y ya verán lo que se gastan al mes en hombres. Y eso, sin pasar ya a palabras mayores, sin hablar de pisos, de coches, de motos. Señor policía, teniendo en cuenta que por aquí lo que una se gasta en chulos es un dinero que no desgrava —y no sé por qué, valiente injusticia, si son gastos necesarios para tu equilibrio sexual, una cosa de la salud—, y como tampoco va a andar una todo el rato haciendo facturas, con el IVA incluido, a los chaperos lo mejor es pagar en metálico, a dos o tres mil pesetas el polvo, y dejarse de comeduras de coco. Que me lo digan a mí, que el de la leche, con eso de no cobrar por cada servicio prestado, sino por el amor que me daba, el hijoputa, casi termina con las existencias de mi cartilla de ahorros, con lo que tiene una que cuidarla para la vejez.

—Te lo voy a dejar como el Tajo de Ronda —me dijo al oído, mientras subíamos en el ascensor, metiéndome ya directamente la mano en el cuerpo de guardia—. Al que venga detrás, le dará vértigo.

Vértigo me estaba entrando a mí. Estaba clarísimo que aquel zagalón, hablando, tenía imaginación. Y seguro que la tenía también en lo demás, eso se veía venir. Y, si a eso le añadía la carrocería que gastaba el angelito, comprenderá usted, señor policía, que esta farandulera estuviese ya pregonando el ensayo general.

Hay algunas que le hacen unos ascos la mar de aparatosos al tema éste de la prostitución. No sé por qué. Por más vuelta que le doy, es una cosa que yo no entiendo. En esta vida todo el mundo vende algo, señor policía: los que tienen talento, el talento; los que han estudiado una carrera, sus conocimientos; los que han cantado misa, la salvación de las almas. Todos. Los que no tienen más que su cuerpo para vender, lo venden. Y no pueden ser peores que los demás, si lo que ellos venden, su cuerpo, tiene, por lo visto, menos categoría que lo que venden otros. Porque, puestos a vender, ¿no serán peores los que venden talento, arte, cultura, medicina o religión, que los que venden tan sólo un cacho de carne? A mí me parece que es una cosa que está clarísima y no sé a qué viene tantísima persecución.

—Te voy a poner el culo como el turbante de Gadafi —me dijo mi Sindo, achuchándome toda la carne por detrás, mientras yo las pasaba canutas para abrir la puerta, que no acertaba con tantos nervios—. Como el turbante del moro ése te lo voy a poner. Con el Mahoma dentro y pegando gritos.

Pegando saltos de alegría me lo dejó, señor policía, me puede creer. Qué cama tenía mi Sindo. La sigue teniendo, claro. Qué ganas de disfrutar. Me lo arrancó todo a bocados, se lo juro. No sabe usted la locura que le entró con mis pechos. La que le sigue entrando, cada vez que viene. Tiene una boca como un cojincito de plumón. Qué suave. Me da mordisquitos en los pezones y, a la vez, dice cosas en gallego. Qué cosquilleo tan gustoso y tan delicado me entra. El gallego es que tiene un tonillo muy dulce, señor policía, y para hacer el amor es de locura. No hace falta entenderlo. Yo nunca entiendo nada cuando mi Sindo lo habla mientras me come a besos de la cabeza a los pies. Cómo le gusta. A mí es que no me deja ni moverme. Y él, en este primer pase, es que ni se desnuda. Y a veces tengo que cerrar los ojos para no marearme, llega el momento en que ya no puedo resistir esa visión, esa preciosidad de chico de uniforme, a veces hasta con la gorra puesta, que quiere comérmelo todo sin morder muy fuerte ni masticar. Una locura. Yo tengo que cerrar los ojos. Siempre es igual, desde el primer día. Desde la primera vez que fue a mi casa y me cogió en brazos como a una novia de blanco y me preguntó ¿dónde tienes la alcoba, dónde hay un colchón?, ni cervecita ni leches, ni cuarto de baño ni pijotadas, así, tal cual, en crudo, y me quitó el modelito monísimo que yo llevaba a tirones y a mordiscos, me lo dejó hecho unos zorros, pero yo encantada, yo pensando qué suerte, nena, has ido a dar con un sádico que es lo que a ti te hace falta para olvidar al otro, al de la leche, y cierto es que un amor, por equivocado que haya sido, no se olvida así como así, pero si mi Sindo no lo ha conseguido del todo no lo va a conseguir nadie, tan sólo el tiempo, cuánta dulzura, nada de violencia, señor policía, fue sólo el empujón inicial, un problema de inercia, digo yo, que el pobrecito venía todo acelerado desde que se montó en el taxi y cuando se vio en el dormitorio, tan blanco todo, tan limpio, tan ideal, no tuvo más remedio que estallar, cosas de la juventud, pero luego, enseguida, se volvió un corderito maravilloso, cuánto cariño le salía por los labios y por los dedos a aquel muchacho, caballero legionario paracaidista, ángel caído del cielo para saborearme, para saboreármelo todo menos el triángulo mortal de las Bermudas, naturalmente, eso es sagrado, servidora usa desde hace muchísimo tiempo un modelo exclusivo de bragas, capaz de dejar todo el campo de batalla libre por detrás y el frente perfectamente protegido, bien guardadito el misterio, inaccesible incluso para los que se ponen muy pesados, para los que al cabo de un rato ya te están pidiendo que se lo enseñes, que te lo saques, que te lo quieren ver, que te lo quieren comer, degenerados, y eso ni hablar, una tiene principios, yo me siento sicológicamente mujer y eso que me cuelga va contra mi sicología, no me lo quitaré nunca porque me da susto, pero no lo enseño, como si no existiese, y mi Sindo lo sabe, quiero decir que sabe que no existe, lo comprende, el primer día lo comprendió, me comió a besos todo menos eso, por delante y por detrás, por arriba y por abajo, y, cuando me dio la vuelta y bajó hasta el fortín por donde a mí me entra la munición, cuando se presentó en el patio de armas se quedó mirándolo todo como si viera un prodigio y dijo, muy asombrado y muy emocionado:

—Carallo, esto bota fumo.

Desde ese día, a mi fortín mi Sindo lo llama el botafumeiro, y a mi patio de armas la catedral de Compostela.

—Te voy a poner el culo —dice a veces, cuando deja recado en el contestador— como el botafumeiro de la catedral, el día del Santo Apóstol.

Y cumple. Vaya si cumple. Mete la candela hasta que ya no cabe ni una lasquita de carbón ni un grano de incienso, y empezamos con el meneo hasta que a mí, a veces, llegan a entrarme vahídos.

Cuando la mar se calma, me pregunta:

—Putita mía, ¿estás bien?

—Un poco mareada, la verdad.

—Pues eso no es nada con los mareos que le van a entrar al que me reemplace, cuando se te acerque al chocho. Ya te lo advertí. Te lo voy a dejar como el Tajo de Ronda.

—No importa —digo yo, dispuesta a todo—. Me gastaré los ahorros en biodramina.

La verdad, señor policía, yo sé que a mi Sindo acabaré por buscarle sustitución. Y no es que yo sea más degenerada de lo normal, es que la vida es así. Mi Sindo se licenciará y dice que quiere embarcarse. Cosas de gallegos, mire usted. Tendrá un amor en cada puerto y, en cualquier momento, le da la ventolera y se queda a vivir en el sitio más raro del mundo. Con él no tengo porvenir. Lo tengo asumidísimo. Pegaré una foto suya en mi álbum, una foto con su uniforme de paracaidista, y cuando sea viejecita a lo mejor me sirve de entretenimiento pensar en él. Pensar en él, y en todos los demás.

De hecho, creo que ya se ha buscado un sucesor. Aún no me lo ha dicho claramente, pero yo me doy cuenta. Y, bien mirado, no deja de ser un detalle. Un detalle práctico. Me deja aviada a mí, y avía de paso a un colega que lo necesita, un colega al que le tiene ley y que le da confianza. Un pelirrojo de Murcia, de Totana para ser exactos, que tiene en la sangre todo el brío de la huerta y un nabo que vale por la cosecha de un año.

Me lo anunció de pronto, hace cosa de un

mes. Como siempre, me encontré la novedad en el contestador:

—Encanto, te vamos a poner el culo como el Peñon de Gibraltar. Etcétera.

Rebobiné un poco por si no había escuchado bien. Pero no, estaba clarísimo. Mi Sindo había dicho, con toda desfachatez, «te vamos».

Para qué voy a negarlo, señor policía, me hizo ilusión. Un poco de variedad siempre ayuda, siempre gusta, siempre sienta bien. Mientras me lavaba un poco la vajilla —que es como le dice a eso mi amiga Pamela Caniches, aquí presente, que anda todo el rato trabucándose y afirma, la muy ilusa, que el médico le ha dicho que ella tiene un poco de vajilla, una vajilla infantil, pero de verdad, debajo de los huevecitos; claro que también dice que la Marcuse se hace enviar las medias Glory en la vajilla diplomática—, mientras me ponía una pera sentada en el bidé, trataba de imaginarme al acompañante. Me imaginé de todo, y estuve a punto de correrme allí mismo, espatarrada.

Afortunadamente, me contuve. Mi intuición me dijo que no desperdiciara energías. Mi intuición es como un cascabel puesto en el quicio de la puerta de la calle: me avisa a tiempo. No hay nada como la intuición. Porque la realidad, aquel día, superó con creces todas las previsiones.

No vinieron dos, vinieron cuatro.

Vinieron tres, además de mi Sindo. Un español —el pelirrojo de Totana— y dos increíbles portugueses. El de Totana se llama Fermín y tiene cara de angelote de Salzillo. De los dos portugueses, el rubio de ojos verdes se llamaba

Vitor Manuel y era de Oporto; el otro era un morenazo de escándalo, con algún ramalazo de sangre angoleña, me parece a mí, decía llamarse Alex y era de Faro. Los dos estaban haciendo el servicio militar en Coimbra, pero acababan de terminar unas maniobras conjuntas hispano-portuguesas y estaban allí, en mi casa, tan decididos ellos, porque, como me dijo mi Sindo al presentármelos, durante la guerra habían hecho amistad.

Mi Sindo siempre me saluda, esté delante quien esté, con un beso de tornillo. El de Faro, que era un espabilado, enseguida me di cuenta, no quiso descolgarse del pelotón de cabeza, como dicen por la tele cuando dan carreras de lo que sea, y me metió de sopetón la lengua hasta la campanilla. El de Totana se cortó un poco y tenía la cara ardiendo cuando me besó en las mejillas como un caballero moderno. El de Oporto, angelito, me besó como un caballero antiguo, me besó la mano la criatura, y yo, para no soltar el trapo, me eché encima de él y le besé junto a la oreja, y él después, sin perder la formalidad, dio una leve y airosa cabezada y dijo:

—Obrigado.

Whisky para todos, como es natural. Servidora siempre tiene el bar surtidísimo. Servidora tiene un pisito la mar de mono, las cosas como son, no tan lujoso como el de Colet la Cocó, que es ejecutiva de alto nivel, ni en un barrio tan bueno como el suyo, pero sí muy confortable y muy aseado y a dos pasos del centro. A los soldados, pobrecitos, les encanta. En comparación con el cuartel, mi pisito les parece Buquinján. Se sienten cómodos enseguida, como si estuvieran en su casa. Todo lo miran, todo lo revuelven, todo se les antoja. Y a mí me encanta que aprecien lo que tengo. Les enseño mis fotos, mis recortes de prensa, mi vestuario de trabajo. Se quedan impresionadísimos. A veces los invito a la sala, a ver el espectáculo, y en el elenco causan sensación, todas las travestonas alborotadísimas. Normalmente, no los llevo hasta que no los tengo bien sujetos de riendas, para que no se me descarríen, pero a los portugueses los llevé esa misma noche, nenas, que no está el mercado como para desperdiciar la oportunidad de causar tantísima sensación. Ellos, pobrecitos, se quedaron boquiabiertos con la distinción y el lujo de la sala y de las atracciones, y conmigo como estrella del espectáculo. Una primerísima figura en mi género, señor policía, y no es por presumir.

Tendría usted que verme en pista, señor. Bueno, en pista y en la intimidad. Pregúntele a los portugueses, si cualquier día de estos aparecen por ahí, de maniobras, pregúnteles, y compre enseguida un billete de avión para Madrid, que aquí está una servidora, esperándole.

Claro que a lo mejor prefiere hacer maniobras con ellos. Usted mismo. Le puedo asegurar que no se arrepentiría. Voy a contarle.

Mi Sindo dijo en cuanto se zampó el primer whisky que la cama iba a resultar demasiado pequeña, que despejáramos de tiestos el salón y que nos pusiéramos cómodos en el suelo, con los cojines del tresillo. El mismo dio ejemplo enseguida. Se tumbó en la alfombra boca arriba, como si estuviera ojeando los aviones enemigos, y se lo desabrochó todo en un santiamén, pero sin quitarse nada. Alex, el de Faro, le imitó al dedillo, estaba claro que ese muchacho le había jurado a sus mandos no perder posiciones. Incluso pasó a ocupar la cabeza de la escuadra: mi Sindo traía puestos unos espantosos calzoncillos de color caqui, obsequio del ejército, y el impulsivo portugués no llevaba nada. Además, estoy convencida de que lo hizo a propósito: en cuanto se desabotonó la bragueta, se le escapó un mortero inmenso, oscuro y duro como la posguerra, y empezó a jugar alegremente con él. Como escaramuza, era un poco alocada, me parece a mí, pero el mundo es de los osados, ya se sabe. El de Totana, mientras, se había sentado en la posición loto, que no sé yo si eso entra en las ordenanzas militares, pero se me antojó muy tierno y, aunque se desabrochó, la postura no permitía escapadas tan arriesgadas como las del otro, si bien es cierto que marcaba en el pantalón un paquetazo que, como pude comprobar más tarde, no tenía nada de espejismo. El portugués de Oporto fue el último en ocupar su puesto. Antes, me pidió caballerosamente que me sentase en el centro de la alfombra —lo que hice sin rechistar, mientras me aflojaba el vestuario de casa, para estar, ante lo que se avecinaba, sueltecita de cuerpo—, y después hizo algo inesperado: se quedó en pelota picada en menos que se dice Jesús.

—¡Jesús! —dije yo. Aquello era un ataque en toda regla, y con artillería pesada.

Naturalmente, sucumbí. Me rendí con la facilidad y la alegría de un batallón italiano. En menos de un periquete me vi con las enaguas abrigándome la nuez de Adán, con las piernas en alto y el lanzallamas de Vitor Manuel, nada caballeroso de repente, asaltándome a sangre y fuego el alto estado mayor. Qué ímpetus. Qué velocidad. En menos de tres minutos me sentí rociada por dentro como rociaban los yanquis el Vietnam, y después el de Oporto se retiró levemente conmocionado, y, al retirarse a sus posiciones, dijo, recuperada la caballerosidad:

—Obrigado.

Obrigadísimo, pensé yo. Fue lo último que pensé, desde luego. A partir de ahí, ya no me dejaron. Cómo es la guerra, señor policía. Cómo son las maniobras conjuntas hispano-portuguesas. Cuando quise darme cuenta, ya tenía la del de Faro metida en la boca hasta la tráquea. Qué traqueteo. Qué asalto. Qué forma de arrasar. El de Faro, por arriba, me escupió leche hasta la matriz, pero no la sacó y no dijo obrigado ni nada. Qué insistencia. Qué ambición. Qué ferocidad. Yo en la gloria, desde luego. Eso sí, pedí ayuda a mi Sindo. Inútilmente, menos mal. Y es que, por estas tierras, unas maniobras conjuntas son algo muy serio, señor policía. Y mi Sindo es un soldado responsable. Conocía su obligación. Y la cumplió de perlas. Relevó, con el valor y la gallardía que le caracteriza, a Vitor Manuel de Oporto en mi trinchera de retaguardia. Qué felicidad. Tengo que mandar un despacho urgente al mando conjunto, a esos muchachos hay que condecorarlos. A todos. A los cuatro. No vaya usted a pensarse que el de Totana, que parecía el colmo de la timidez, escurrió el cuerpo. Ni hablar. Se fajó como un jabato. Le dijo claramente al de Faro que ya estaba bien, que ya se había corrido dos veces, como un orangután rijoso, y que ahora le tocaba a él, a Fermín el murciano, al hijo de la señora Petra, qué orgullosa estaría su vieja, tenía que demostrar su valor, jugarse la vida, conquistar el campamento del enemigo, alcanzar el honor, lucir en la guerrera la gran cruz de San Hermenegildo. Allí se quedaría él, en la garita alta, el tiempo que fuese necesario. Si se lo permitían los otros, naturalmente. Que no se lo permitieron ni cinco minutos. El de Faro quería la garita de abajo, aunque tuviera que matar. Qué hermoso espectáculo, dos guerreros luchando codo a codo por la misma causa. Y la causa era mi Peñón de Gibraltar, mi Tajo de Ronda, mi turbante de Gadafi, mi bebedero de patos. Por otro lado, la causa era mi instrumento, mi medio de vida, mi caja de Pandora, mi garganta. El de Oporto me la regó por tercera vez y al retirarse, entre jadeos, balbuceó:

—Obrigado.

Y así, entre los cuatro, hasta quince escaramuzas con éxito.

Le digo, señor policía, que si aparecen por ahí, para unas maniobras, los paracaidistas portugueses, no deje que se le escapen. Duro con ellos. Enciérrelos en cuanto pueda en su comisaría, no se lo diga a nadie, y aproveche. Aproveche, señor, que son dos días.

Claro que a lo mejor le llama antes mi Sindo. No ponga esa cara. No tiene nada de extraño. Mi Sindo, ya sabe, se licenciará en unos meses, y después quiere embarcarse. Es gallego, y nadie sabe hasta dónde puede llegar. Hasta Georgia, claro que sí, aunque la mar les pille lejos. Menudos son los gallegos. Por eso, no se extrañe si un día mi Sindo le llama. Mire, ya le adelanto lo que le dirá. A lo mejor le deja el recado en el contestador, le gusta mucho. Apréndalo. Apréndaselo de memoria para que no se le escape. Bueno, lo reconocerá enseguida, no puede haber otro en el mundo que lo diga como él. Es lo que mejor le sale. Apréndaselo bien. Porque cuando mi Sindo le llame, señor policía, le dirá:

—Encanto, te voy a poner el culo como el Peñón de Gibraltar. Con la verja de par en par, y hablando en inglés.

Y ya verá lo que es bueno.

6

Donde Pamela Caniches, llamada también Trabuca Grande por sus patinazos a la hora de llamar a las cosas por su nombre, hace un alarde de sinceridad y confiesa la verdadera materia de sus sueños

Ay, señor policía, yo no quería meterme en esto, no quería, de verdad, no tiene sentido, no tengo nada que contarle, puede creerme, nada, soy un caso, soy lo que se dice una impávida y una inhóspita, ya ve que no tengo ningún reparo en decir las cosas como son.

Pero me dicen que a ver si pienso que con eso me pongo a salvo, que esa ley de ustedes no hace distinciones y que basta con que sospechen de una —y razones para sospechar sí que hay, tampoco puede una cambiar de apariencias y de comportamientos de la mañana a la noche, como si una fuese la protagonista de La Mientrasmecoses esa o como se titule la novela donde el que lo cuenta se convierte en bicho, usted me entiende—, basta con que reciban un soplo o una insinuación acerca de una para que tengas a todas las fuerzas vivas detrás de ti, buscándote las costuras. Qué injusticia, por favor. Tenga usted en cuenta que mariquita sí que soy, la verdad, pero que no ejerzo nada, lo que se dice nada. Y le voy a explicar por qué.

Primero, porque estoy pasando una racha fatal, quiero decir que llevo meses y meses de secano absoluto, casi absoluto, en fin, para ser sincera del todo, que si no fuera por lo de mis perros no tendría ni para un café. Mis perros son los que me sacan de vez en cuando del bache. Son dos caniches negros preciosos, señor policía, macho y hembra. La hembra se llama Poli, por Pola Negri, tiene la misma carita de inocentona mujer fatal, y, para lo pequeñita que es, porque parece una miniatura, ha salido completamente profética, o sea que tiene crías cada dos por tres, gracias a Dios. El macho, que se llama Feri, diminutivo de Ferbancs —como Duglas, y usted perdone, señor policía, la pronunciación—, no es que sea un degenerado, sino que tiene las hormonas muy bien puestas el animalito y, en cuanto Poli se le insinúa, él cumple. No creo que ustedes tengan nada contra eso, ¿verdad?, porque mis caniches hacen el uso matrimonial según las normas de la Santa Madre Iglesia, sin posturas conflictivas ni nada, dejándose llevar simplemente por los espolones de la madre naturaleza, que es muy sabia y muy ardiente y no sabe nada de anticongelantes, sobre todo con las parejas jóvenes. Porque mis perrillos son dos niños, como quien dice, pero tengo entendido que la de los caniches es una raza muy precoz, y así está Poli, la criatura, desfondadita a sus años, que ya ha dado a luz cinco veces —y cada cría son diez mil pesetas, ya ve usted, tampoco es como para hacerse millonaria— y estoy pensando que dentro de nada tendré que sustituirla por alguna de sus hijas y eso, aparte de mucha pena, sí me da un no sé qué, que servidora siempre ha sido muy escrupulosa en materia de moralidad.

O sea, que cualquiera comprende que yo no tengo ingresos como para pasarme la vida pendoneando y haciéndoles ojitos a los hombres en las terrazas de la Gran Vía. Porque estas malhabladas de mis amigas me llaman, sin ninguna misericordia, la Trataperros, pero a ver qué puedo yo hacer, otra entrada no tengo y no me voy a suicidar con batiburrillos como la Marilín.

Algunas me dicen que si me veo así es por mi mala cabeza, pero es muy sencillito hablar cuando se tiene un buen trabajo y un buen sueldo y una jubilación más o menos segura para el día de mañana. Yo naturalmente que tuve en otros tiempos un trabajo estupendo, sirviendo como mayordomo en una casa de muchísimo postín en Palma de Mallorca, pero también yo quería prosperar y, sobre todo, venirme a Madrid a probar suerte en el cine, la ilusión de mi vida —que soy lectora fiel de la revista Fotogramas desde hace treinta y cinco años, y eso que ahora se ha puesto carísima y ha perdido para mi gusto una barbaridad, ahora todo se les va en hablar de vídeo y el vídeo es una cosa que, como dice el Evangelio, se nos debería dar por añadidura. Es cierto que la aventura salió fatal, que se me fueron todos los ahorros en montar una tintorería que no duró ni dos meses y que desde entonces he malgastado mi vida dando bandazos hasta quedarme, a falta de otra cosa, en esto de los perros. A lo mejor me faltó cabeza y me sobraron fantasías, pero digo yo que todo el mundo tiene derecho a arriesgarse y el éxito o el fracaso son también una cuestión de suerte.

Entre las cosas que más sufrieron en este viacrucis que una servidora ha tenido que padecer en los últimos quince años, están mi pelo y mi digestión, y ésas son las otras dos razones por las que servidora pasa su existencia, por lo que se refiere a la sexualidad, como si hubiera profesado en la Trapa. Para mi pelo, he probado de todo: lociones, masajes, champuses, cortes radicales, mejunjes y cataplasmas de hierbas, de todo. Inútilmente. Y cuando la calvicie ya no la podía disimular de ninguna forma, probé bisoñeses y peluquines, pero por desgracia todos tuvieron que ser muy baratos, porque para entonces ya había entrado yo en mis peores tiempos, y era peor el remedio que la enfermedad. Ahora dicen que con algunas técnicas de trasplantes o de entretejidos hacen milagros, pero valen una fortuna, y no sé de qué me valdría tener una hermosísima mata de pelo y morir de incomunicación. Así que me las apaño con mis pamelas, como dicen estas arpías: gorras, chapelas, pasamontañas, bardelinos, panamás, de todo, según el momento y la ocasión, a eso sí que le dedico, aunque tenga que quitármelo de comer, un presupuesto curioso. Bueno, le dedicaba, porque los que ahora tengo están ya pasadísimos de moda, aunque yo procuro hacerme a la idea de que la moda actual lo admite todo. Pero ahora, señor policía, dígame usted: ¿Cómo puede una bajársele con tranquilidad a los hombres a la bragueta, con perdón, sin decantarse? Y si no me decanto —quiero decir, para que me entienda, porque reconozco que a veces me gusta usar palabras de diccionario, que el de la cultura es ya casi el único lujo que una se puede permitir; quiero decir, le iba diciendo, si no me quito el sombrero de turno—, ¿cómo voy a encontrar holgura para los movimientos que una filiación, por decirlo finamente, necesita? Siempre he pensado que enseñar una calva como un aeropuerto mientras una se dedica a la oratoria es suficiente como para que flaquee el micrófono más duradero, y fíjese cómo procuro hablarle con metáforas para no ofender.

El otro contratiempo, el de la digestión, me parece a mí que teminará por darme un disgusto serio, que todo el mundo me dice que el estreñimiento no es bueno para nada, pero es que ya se me ha hecho crónico y no tengo manera de solucionarlo. Siempre, desde pequeñita, fui propensa a los atascos de vientre —una mariquita médico con la que tuve una vez un fugaz romance me dijo que teníamos que achacárselo a la dietética familiar—, pero luego, cuando empecé a pasarlas moradas, insensata de mí, durante un tiempo yo misma procuraba aguantarme, pensaba que de esa forma lo que comía me alimentaba más. Ahora sufro las consecuencias, claro. Además de los sudores y de las dolencias, que a cada hora se reproducen como si estuvieran picadas con mis caniches, no puedo evitar la sensación de tener toda la cañería ocupadísima, como un autobús de bote en bote, como un vagón del metro en hora punta, y es corte vender billetes a sabiendas de que el vehículo anda con overbuquin. Y eso sin contar con que te expones a que te partan la cara por flatulenta y por cochina.

Ni hablar. Me moriría de vergüenza.

De forma, señor policía, que ya conoce toda mi verdad. Yo siempre había pensado que ser demasiado sincera no conviene nada, pero por aquí decimos que a la fuerza ahorcan. Por lo visto, lo que están montando ustedes, con el cuento de la sanidad y de las buenas costumbres, es una verdadera caza de brujas, otra como la de antes, aunque a lo mejor de distinto estilo, y me acuerdo yo del pobre Yon Garfil —y perdón otra vez, y para lo que venga, por la pronunciación—, destrozadito y hecho un guiñapo, con lo guapísimo que era y con el sexy que tenía ese hombre, después de que lo acusaran de comunista, y se me pone carne de gallina. Así que lo de mi sinceridad, ahora, no tiene mucho mérito, lo reconozco. Es que con la edad y con los achaques una se vuelve cobarde, para qué me voy a engañar, y ya que éstas se empeñan en que yo también grabe mis palabritas en el magnetófono he pensado que, por vergonzoso que sea, y aunque comprendo que si mis hermanas ahora me abuchean me lo tengo bien ganado, lo que yo quiero es salvar el pellejo, porque ya no me queda otra cosa.

Estas me dicen que no presuma tanto de sinceridad. Dicen que no me marque faroles, que algún vicio seguro que me hago, en mi barrio —servidora vive en Moratalaz, en Arroyo Fontarrón, un barrio y un pisito modestos, pero menos mal que tengo una cosa mía donde recogerme, a ver las películas de televisión, a releer los viejos «Fotogramas» que tengo encuadernados, y a soñar—, cuando bajo de noche a pasear a los perros, o durante el día, con tanto parado como hay por esa zona, por los descampados que hay entre Moratalaz y Vallecas, en los cines baratos del barrio, en los retretes de Al Campo, porque nunca falta un roto para un descosido. Eso me dicen y se equivocan, de verdad que se equivocan, y no es que por eso esté contenta, puesta a ser sincera voy a serlo hasta el final.

La verdad, señor policía, yo me volvería loca por poder contarle todos esos pandemoniums que le están contando las demás. Pues claro que me volvería loca, daría lo que pudiera por que fueran ciertos, no vaya usted a pensarse que soy una estrecha, no vaya a creer que soy una reprimida, una castrada voluntaria, una penitente de la cofradía del santísimo cristo del cinturón de castidad. Ni hablar. Si no ejerzo es porque no puedo, no porque no me esté muriendo de ganas, las cosas como son. Fíjese si le soy sincera. Pero me imagino que lo que cuenta para ustedes son los hechos, no las imitaciones; bueno, quiero decir las intenciones, es verdad que a veces me trabuco un poco. Y de hechos, se lo juro, estoy limpia. Estoy diáfana. Qué más quisiera yo que poder contarle un par de revolcones recientes, como los de antes, como los de mis buenos tiempos, que los tuve, claro que los tuve, tiempos magníficos y revolcones de campeonato, pero me imagino que esas leyes de ustedes dirán que los delitos predicen —quiero decir que ya no cuentan— a ciertos años, y los míos son prehistóricos, pobre de mí, y además ponerme ahora a recordarlos me deprimiría muchísimo, no lo podría soportar. A lo mejor las otras lo han hecho, a lo mejor han contado como de plena actualidad cosas que les pasaron cuando eran niñas, y además les habrán echado mucha ornamentación, las mariquitas somos así y por tal de impresionar nos creemos nuestras mayores fanfarrias y todas las insolaciones que se nos vayan ocurriendo sobre la marcha. Allá ellas. Tendrán madera de mártires o se sentirán a salvo, pero a mí los fanatismos —sin ánimo de ofender, señor policía— me impresionan mucho y prefiero decir la verdad.

Estaría bueno que, por ser pobre y no tener dinero para coger, en caso de apuro, el Cascorro ése o como se llame ese avión francés tan rapidísimo que te pone en Japón en un suspiro, y por querer presumir de lo que no hago, de lo que no me entra y de lo que no me como, y por empeñarme en quedar ante usted como una Juana de Arco, al final fuera yo la primera en caer, si no la única. Sería una injusticia, además de una incompetencia, una cosa sin sentido, y me parece a mí que merezco un respeto y una consideración y que nadie tiene derecho a echarme en cara que, además de indulgente, sea miedosa.

Estas me dicen que deje de llorar como un hombre y que me comporte como una mujer. Qué más quisiera yo, no te digo. Daría mi colección entera de Fotogramas por poder comportarme todavía como una verdadera mujer. Si tuviera medios, pelo y salud para poder comportarme como una hembra de rompe y rasga, lo que yo era cuando las cosas me marchaban bien, el Fotogramas no me haría tanta falta como me hace. Ni tanto avío, mire usted, ya sabe que estoy dispuesta a decirle toda la verdad, y espero que usted me lo tenga en cuenta.

Para que éstas no digan que me dejo aposta cosas en el chumino, le voy a contar mi última anécdota, una verdadera excepción, puede creerme, y ya verá usted si no es como para echarse a llorar. Y es que al perro flaco todo se le vuelven pulgas, un refrán que en este caso viene como anillo al dedo. Imagínese usted, una servidora ya con sus gustos sexuales casi completamente anestesiados por la falta de práctica, que llega el momento, después de mucha ausencia —que es como me parece que le dicen a no hacer nada—, en que una ya ni siente ni padece, se mueve una por la vida, en ese respecto, como una zombi, como una almohada, y hasta pierde el interés por el gusto de mirar, que es un entretenimiento barato, prefiere evitarse sofocones, el disgusto y la depresión del que sabe de sobras que lo verás pero no lo catarás. Así que me he convertido en maridiscreta y marimodesta, entendiendo por modestia el ni siquiera levantar la vista del suelo, el no levantar la mirada más allá de los tobillos del público, que a mí los pies es una cosa que nunca me ha dado morbo, no como a otras, como a una amiga mía pintora que se vuelve cardíaca con los pies de los chulos, a ella le llaman ya la Maripinceles hasta en los catálogos y en los libros de arte, que su última exposición era una multitud de pieses en todas las posturas, que cuando ibas por la mitad ya te entraban agujetas, yo a las exposiciones sí voy porque son gratis, claro. Pues a mí ese vicio no me ha dado nunca, mire usted, así que voy divinamente con mis ojitos bajos y sin echar cuenta de los hombres que se cruzan conmigo. Claro que eso fue la causa de todo. Porque iba yo una tarde, ya oscureciendo, después de haber dado un garbeíto con Poli y Feri, cuando veo que se vuelve a mi paso un muchacho. Se preguntará usted que cómo pude verlo si digo que voy a todas partes con la mirada en plan aljofifa, y yo se lo explico en dos palabras, para no ensañarme: mi repentino admirador era enano. Un verdadero enano, mire usted. Como los del circo. Debido a su tamaño, claro está, yo vi más de lo que normalmente veo con la vista por bajo, y lo que vi, entre otras cosas, fue una bragueta que, con el peso de la merienda, casi le rozaba el suelo. Ya se puede figurar lo que pensé, a éste todo lo que le falta en vertical le sobra en horizontal. Y, encima, me miraba con deseo. Casi me caigo de encima de los tacones, con la impresión, porque además feíto del todo no era, sólo un poco cheposo, y tenía una voz rarísima, como a medio cocer, y a mí, la verdad, pasado el primer impacto, y a pesar de toda mi necesidad, me dio un poquito de grima. Pero él me seguía mirando con mucho descaro y con mucha avaricia, y me preguntó enseguida por mis perros, que es una cosa la mar de socorrida, y me invitó a un pitillo rubio americano y luego me preguntó que si le aceptaba un café y yo, que tenía el estómago engurruñido, para qué mentir, le dije que por supuesto. Fuimos a un bar y a mí me daba bastante apuro el enseñarme con aquella compañía, y cierto que ése no es un sentimiento bonito y me dije no seas raquítica de alma, y si hace falta te acuestas con él, pobrecito, se le veía como muy necesitado, seguramente tan en ayunas como yo, tal para cual, y él me ponía la mano en las rodillas y en los muslos y me los apretaba un poco, y cuando se nos cortaba la conversación se ponía a leer con toda naturalidad un periódico que llevaba, un periódico abierto, además por un artículo sobre Suráfrica, con todo eso de la discriminación. Yo no podía rechazarle, por mucho repelús que me diera, porque a lo mejor el pobre pensaba que yo también era racista, así que allí estaba una servidora metida en un verdadero diploma, sin saber qué hacer: por un lado, la gamuza en mis partes —quiero decir un hambre sexual que no tuvo más remedio que despertárseme con los tocamientos de mi admirador—, por otro la grima que aquella chepa me daba, y, para completar el panorama, los titulares del diario que hablaban de racismo y de marginación. Yo no podía ser tan cruel. De forma que cuando él me preguntó lo clásico, ¿tienes sitio?, yo le dije sí, vivo solo, podemos ir a mi casa si quieres, a echar un rato —y le juro, señor policía, que estaba haciendo de tripas corazón y procuraba sentirme la más caritativa del mundo—, vivo muy cerca. Entonces, señor policía, fíjese, él dijo bueno, si tú quieres, pero tengo que decirte una cosa. Y yo le dije: Cuéntame. Y él de pronto se puso en plan marlonbrando y me soltó, sin cortarse ni un pelo: Es que yo cobro, ¿sabes?

Para que luego digan éstas que sobre mí también caería lo mismo el peso de la ley, el peso de esa ley tan carpetometódica que han desempolvado ustedes para maltratar a las mariquitas. No hay derecho, esa es la verdad, pero, si lo hubiera, yo tendría que ser la última de la lista. No me negará usted que me tengo bien ganado el título y la corona de maridesgracias.

Porque encima, claro, para no quedar como una pobre y una agonía, tuve que montarme la película de que me había quedado sin nada de efectivo y que me estaban reparando en el banco la tarjeta cuatrobé. Y, para más inri, el quasimodo al despedirse se despachó con un vale, otra vez será, bien que lo siento, pero más deberías sentirlo tú, no sabes lo que te pierdes. Qué valor.

La verdad es que ahora parece un chiste, pero, en su momento, pillé tal sofoquina que me fui corriendo a casa, con un complejo horroroso y con unas ganas locas de llorar. Me dio por pensar que el cheposo seguro que tenía fondos suficientes para pagarse un curso de afinación de personalidad y de fuera traumas. Yo, en cambio, miserable como las ratas, tenía que vivir con todas mis complejidades y traumatismos y sin más consuelo ni escapatoria que mi colección —bendita sea— de viejos Fotogramas encuadernados.

El primer número que tengo es de 1946, año de su fundación, y dan en sepia una foto de Tortilla Flat, con Espenser Trasi, Jedi Lamar y Yon Garfil, que vale un potosí. Dos hombres tan distintos y tan atractivos, uno con el morbo del bueno y otro con el del golfo, y, entre los dos, aquella mujer tan guapísima, con aquellos labios tan succionadores, que me bastaba a mí con cerrar los ojos y me sentía ella y tenía que aguantarme la risa para no echar la escena a perder, porque Garfil, sin que nadie en el plató se diera cuenta, se las apañaba para meterme el dedo por las braguitas, aunque yo, con el brazo izquierdo en jarras, me contentaba con agarrarle el santoyseña a Espenser, que estaba a mi derecha y tenía un argumento de susto, ya se vio después la afición que le cogió Katerín Katapún.

Yo esa película, Tortilla Flat, la he visto, me parece, hace poquísimo, pero no sé qué me pasa que estoy perdiendo por completo la memoria para los filmes, no soy capaz de contar casi ninguno de principio a fin. Será la edad y a lo mejor el no tener relaciones, que se atrofia el riego en el cerebro. Menos mal que tengo los Fotogramas, con unas ilustraciones maravillosas.

Hay un retrato de Guy Madison, vestido de marino en la película Desde Que Te Fuiste, que no la tengo recortada y puesta en un marco porque odio guardar papeles con minusvalías. Pero la verdad es que he pasado con ella noches inolvidables, convertida yo en una mujer de mucha experiencia, la mujer que necesitaba en aquellos momentos un marinerito como él, tan rubio, con esa sonrisa tan preciosa, con esas manos de trabajador honrado, esas manos que sabían acariciar tan bien mientras yo, después de bajarle los calzones, le iba limpiando con la lengua, muy suavemente, el salitre de la mar.

Aunque, para foto morbosa, una de Yoel Macrea y Antoni Cuin en Búfalo Bill, Yoel de protagonista y Antoni de jefe indio, y en la foto parece talmente que Yoel le está echando mano a la trenza de abajo de Antoni, y los dos están mirando para el mismo lado, me están mirando a mí, una india bellísima, completamente desnuda, atada a un poste con las piernas un poquito abiertas, el trofeo que le espera al que gane de los dos en una lucha a muerte. Siempre que veo esa foto nunca me acabo de decidir con cuál quedarme, de forma que los tengo a los pobres todo el rato peleando y yo, con tanto músculo y tanta sangre y tantas dudas, me pongo inaguantable y acabo llamando a un indio guapísimo que está viendo la pelea, para que me viole salvajemente. Y me viola.

En cambio, no sé lo que pasa, pero siempre tengo que ser yo la que acabe violando, como una verdadera perra, a Rori Caljún, que sale en una foto ensayando boxeo, en una película que en inglés se llama Nob Hill y en español el Fotogramas no lo dice. Rori está desnudo de cintura para arriba y con una especie de pijama ceñidísimo, yo hasta tengo una lupa para verle el paquete en aumento. Pero no hay manera, con los deportistas siempre es igual, los asustan con el fanatismo y no consienten en echarte un polvo ni aunque los mates. Otro que tal es Burt Lancaster en Los Asesinos, donde también sale de boxeador y tiene una foto que sólo con mirarla te corres, y lo mismo pasa con otro no muy conocido que se llamaba Bil Güiliams y era una preciosidad, un campeón hermosísimo y peinadísimo, con cara de chaval sanote, en la película de la RKO Hasta el fin del tiempo. Yo me ponía siempre que iba a verlos, a los tres —a cada uno en su película, claro—, unos trajes sastres estupendos de corte y de género y mi pelo rubio peinado con mi media melenita lacia, y no paraba hasta conseguir invitarles a mi apartamento de mujer independiente y con pasado, pero, una vez allí, siempre era el mismo martirio, ellos empeñados en guardar toda su fuerza para el cuadrilátero. Mi último recurso era echarles algo en el agua mineral, para que perdiesen el conocimiento, y después amarrarlos desnudos a la cama, con las sábanas hechas tiras, y montarme encima de ellos cuando volvían en sí, y hacerlo todo yo, como una verdadera viciosa, hasta quedarme a gusto.

Con el que nunca he tenido que esforzarme nada ha sido con Tarzán, con el Tarzán que a mí me gusta, el Yoni Güeismuler, tan cachas y tan exhibicionista, tan gritón no sólo a la hora de saltar de un árbol a otro, sino también a la de correrse, que a mí a veces me entraban unos apuros tremendos y tenía que taparle la boca con mis manos mientras me abría en canal con el machetazo tan incrédulo que gastaba el angelito y le decía, angustiadísima, Tarzán, por Dios, contrólate, que nos van a oír. Porque yo le seguía por toda la selva, sin reparar en gastos, y él siempre encontraba un rato para arreglarme los forros. Lo malo fue que empezó a coger un capricho muy antipático, se presentaba con el niño y quería hacer menages, y a mí los niños no me han gustado nunca, yo no soy insecticida, como algunas que yo conozco, que acabarán yendo a la maternidad a buscar ligues, o como Herodes, que era un insecticida nato. Tarzán acabó también así y yo por eso dejé de frecuentarle.

Para trío, eso sí, el que organizaban Tirone Pover, una tal Colén Grai y un tal Mique Mazurqui en una película de la Fox que se llamó Pesadilla y de la que yo tengo señalada en Fotogramas una foto que me priva, porque yo me encuentro el vivo retrato de la Colén, que está sentada en los muslos de Tirone, y el Mique, brutísimo, con una especie de piel de tigre cortita que le marca todo, nos mira como si estuviera dispuesto a follarnos a los dos a la vez. Yo no sé cómo se las arregla, pero siempre lo consigue. Y a mí no me importa que Tirone disfrute más que yo.

Por supuestísimo, a quien no se lo consiento es a la cursi de Olivia de Javilán. Yo he estado siempre enamoradísima de Errol Flin, sobre todo cuando hacía de Robín Jud. La mosquita muerta de la Olivia no paraba de magrearle todo el rato, pero el Fotogramas sacó una foto retrospectiva de Errol solo, malherido, con una flecha cerca de la clavícula, y yo me dije ésta es mi oportunidad. Me vestí de tiros largos y fui corriendo a curarle, y cuando él me vio, cuando se le pasó un poco la fiebre, me preguntó ¿tú quién eres?, ¿dónde coño se ha metido la pesada de Olivia?, y yo le dije chisss, no hablemos de ella, hablemos de nosotros, mi amor, y él me dijo si he de serte franco, valientes y jodidas ganas tengo yo de hablar, pero podemos echar un casquete, si no te importa, y yo le dije por mí encantada, y lo hicimos allí mismo, en el pajar, como conejo y coneja, y tengo que decir una cosa: eso que decían sobre Flin, que la tenía chiquitita, no es cierto para nada. Menudo era.

Menudos son los artistas que a mí me gustan y que alguna vez, en las largas tardes de invierno, han compartido conmigo, con Fotogramas por medio, mantel, sábanas y bidé.

Aldo Rai, a quien, para mi gusto, nadie le gana en bañador. Henri Vidal, completamente macizo y que no tarda nada en quitarse la faldita que sacaba en Fabiola. Ralf Mequer, que tiene un desnudo de revista para mariquitas y que se la deja chupar, a la hora que sea, sin poner un pero. Tab Junter, que tiene una cierta tendencia a ponerse del revés, pero con un poco de paciencia se le convence y tiene sus detalles.

Yefri Junter, que siempre me dice si dejas que te la meta un poco te doy veinte dólares, y no comprende que una lo pasa igual de bien por un bocadillo de calamares, pero con la condición de que no se la metan un poco, sino muchísimo. Ben Cúper que tenía tatuado en el miembro, desde que vi una foto suya con la Mañani en La Rosa Tatuada, la Estatua de la Libertad y, mientras bombeaba, le cambiaba de color. Y tantos otros. Tantos que a lo mejor no son tan famosos como las grandes estrellas, pero que están mucho menos usados.

Señor policía, la verdad, yo siempre he pasado un poco de los grandes figurones, aunque haya alguna que otra excepción. Y he pasado, primero, porque sería tonto querer competir con las poderosas, y, segundo, porque los medio desconocidos se dejan convencer con más facilidad, por si alguna vez puedes echarles una mano.

Ellos mismos, en cuanto tienen un poco de confianza, me lo reconocen. Empiezan hablándome de sus éxitos y terminan con sus frustraciones. Es lo que me pasó con un torerito español, guapísimo, que hizo algunas películas, por ejemplo El Ultimo Cuplé —aunque a mí me gustó casi más en Tarde de Toros— y que luego se perdió. Ya le he dicho, señor policía, que no sé qué me pasa últimamente que se me olvidan todos los argumentos —del que siempre me acordaré, pase lo que pase, es del de Mujercitas—, pero que eso venga a ocurrirme con El Ultimo Cuplé sí que no tiene perdón de Dios. En mi pueblo, cuando la estrenaron, la vería como quince veces, sin exagerar. Iba a verla con una amiga, la Bayonesa, y nos sabíamos los diálogos de memoria, en cada sesión una de las dos hacía de Sarita Montiel y la otra de los demás. A mí, como Sarita, las que mejor me salían eran las conversaciones con el torerito. Y, mire usted por dónde, el otro día lo volví a ver. En uno de los últimos Fotogramas, en un reportaje sobre actores ocasionales. Nada más verle, me dio un vuelto el corazón. Está cambiadísimo, claro, pero así y todo me puse la mar de nerviosa. Y no es que yo sea lo que se dice jeroglífica, no es que a mí me guste la gente mayor, pero con este hombre no lo pude remediar. Enseguida me fui a saludarlo. Le dije, ¿no es usted Enrique Vera?, y él parecía muy emocionado. Me invitó a comer a La Dorada, yo con un modelo distinguidísimo, él como un verdadero señor, con un traje clarito, porque era verano, y lo rellenaba divinamente, casi tan bien como rellenaba los trajes de luces en las películas, y en los ruedos. Pidió un camarote para nosotros dos, un reservado. Yo le supliqué que él eligiera el menú, y la verdad es que no puedo acordarme de lo que comí, porque enseguida rocé mi pierna con la suya y me sentí en carne viva de la cabeza a los pies, abierta como el Pórtico de la Gloria el día de Santiago, arrebatada, volcada sobre el durísimo estoque del diestro, que entró a matar, que se marcó una manoletina de ensueño y me puso del revés, me encandiló, me atravesó, me descabelló, y yo chorreaba felicidad mientras afuera, en los comedores, se oían gritos de «Torero, Torero, Torero».

Un sueño, señor policía.

Nada más que un sueño, perdone usted que

me haya dejado llevar. Estas amigas mías, tan monas ellas, dicen que me va a dar lo mismo. Yo sé que no. Yo sé que usted es razonable, ¿verdad que sí? Yo sé que esa dichosa ley tiene unos límites. Tiene que tenerlos. Me dicen que no, me dicen que si pueden entrar en casa de cualquiera y llevarse por las bravas a los que pillen enganchados, no van a pararse en barras. Me dicen que ustedes no respetan nada. Ni los sueños. Ni la imaginación. Me dicen que ustedes tienen policías para todo. Y yo no me lo puedo creer. Yo no he estado nunca en América, pero me la conozco igual. Por el cine. Por el Fotogramas. He visto millones de películas donde ustedes acaban siendo siempre personas justas, gente respetuosa, un pueblo lleno de alegría y de libertad. Huy, perdone, es que yo me embalo muy fácilmente. No es que quiera darle lecciones, Dios me libre. Quién soy yo. Me dicen éstas que no me canse, que da lo mismo, y que ya le he contado suficiente. Sueños. Sólo sueños. Y si también eso lo castiga esa ley, señor policía, la verdad, mejor que terminemos de una vez.

Aquí me tiene. Aquí me encontrará. Amarrada sobre la leña como Yean Seber en Juana de Arco. Ya es tarde para hacerme un peinadito a lo garsón, pero da lo mismo. Lo importante es la actitud. El gesto. Aquí me tiene. Y sólo voy a pedirle un favor: cuando me prenda fuego, hágalo con mi colección de viejos Fotogramas encuadernados. Plís, ya ve, se lo digo en inglés. Préndame fuego con ellos. Porque, si es verdad esto que mis amigas me dicen, lo justo es que mis Fotogramas y yo nos quememos juntos, porque ellos fueron los que me engañaron.

7

Donde Verónica Cuchillos, teóricamente experta en el arte de Talía, improvisa un monólogo dramático para aviso de impacientes y bochorno de inquisidores

Sí, está a mi lado, aquí, dormido, este blanco pulmón que permanece ajeno a mi vigilia, separado de mí por los negros fosos del sueño, retenido al otro lado, secuestrado por Morfeo que quiere devorarle, tan grande es su hermosura y tan tentadora su inocencia. Duerme y no sabe que me ignora, pues al menos su desdén podría proporcionarme alguna dicha, como el áspid invadió las venas de Cleopatra de oscura felicidad, como la cicuta vertió el reconcentrado gozo de la muerte en el corazón de Sócrates. Hace frío y el silencio se inflama como un músculo enfermo y nadie me consuela. Duerme como un ángel después de la batalla, tras haber arrojado a un ejército de demonios a los infiernos, y respira con sosiego, acaso con cautela, como si estuviera vadeando un río, desnudo, hundido en las aguas tenebrosas hasta la cintura.

Su cuerpo arde. Ayer me dijo no sabes cómo me recuerdas a mi primera novia, a la primera chica a la que amó, todavía lleva su foto en la cartera y al mirarla se le llenan los ojos de melancolía, no sabes qué rajita tan rica tenía entre las piernas, con su lenguaje obrero y juvenil me dice eso es, la rajita, lo que más echaba de menos. Pobre muchachito de belleza indecisa, a veces tan delicada y brumosa como la del David de Donatello, a veces tan arisca y cortante como la de un extra jovenzuelo en Mamma Roma, pobre y dulce cachorro a la intemperie, a merced de los depredadores de la ciudad, expulsado por el propio brío de su juventud de la inguinal y tierna hendidura de su primera amada. Su cuerpo arde pero nunca podré quemarme en ese fuego, ahora que él piensa que mi dicha es la dicha de las mujeres y yo tengo que dejar que lo crea, desdichada de mí, para que no me abandone, tengo que fingir bajo su cuerpo el sagrado estremecimiento del placer, tengo que convencerle de que me ha descubierto el paraíso, después de tantos años de buscar el éxtasis por el lugar nefando, después de haberme extasiado tanto, ciertamente, por esa oquedad que tanta carne en son de guerra ha recibido, tanta carne en sazón, tanta fiereza desplegada. El duerme y yo no me atrevo a levantarme, oh sombras complacientes, para enjugar con algodones, del engañoso frunce de mi más íntima falacia, el espeso diluvio de su semen, tan aromático, la lava feliz y genital que hace apenas una hora, tal vez un siglo, depositó en mí, entre gemidos y palabras roncas de amor, entre promesas de eterna fidelidad, porque ya eres mujer desde las uñas hasta el tuétano de los huesos, me dice, ya eres la hembra que querías, la que él, pobre y adorado iluso, necesitaba.

No pudo Shakespeare imaginar mi desventura, pues de lo contrario la celebridad dubitativa de Hamlet habría empalidecido y ocupado posiciones de relleno en el repertorio de las compañías más prestigiosas del mundo frente al soliloquio que el genio de Stradford habría fraguado con mis lamentos. Tampoco Otelo habría desbocado sus celos ante un auditorio tan reverente en tantas ocasiones en los escenarios de Albión ni Segismundo atormentaría a las primeras de cambio, desde el corral de Almagro, la placidez manchega. Tarde nací y tarde fui al encuentro de las musas. Qué mal llegó la fortuna a mis entrañas, por los negros corredores que asoman a poniente, y qué tapia infranqueable puso la veleidosa naturaleza en el lugar reservado a la puerta principal. De qué poco ha servido acudir al ingenio y la sagacidad de los expertos, a la habilidad de los cirujanos, a la voracidad de los intermediarios, al consejo de los urólogos, a la dudosa pero acogedora solvencia de una clínica en Casablanca donde he permanecido cuatro meses, donde estuve ocho horas en la mesa de operaciones, renegando con pasión de mis atributos equivocados, acariciando con los dedos del deseo y de la memoria el sueño de una feminidad sin cortapisas.

Pude viajar a Casablanca, y pagarme los cuantiosos gastos de la operación, gracias al importe del premio de teatro Calderón de la Barca, misteriosamente concedido por un jurado, quizás ebrio, a mi vieja tragedia dedicada a Hécate, una de las brujas de Macbeth. Cierto que cuando gané el premio yo estaba empeñado hasta las cejas, pero no hay mayor deudor que la escurridiza felicidad y que el huidizo privilegio de estar a gusto con uno mismo, aparte de la tristeza de este arcángel que ahora duerme junto a mí, desesperado por su impotencia a la hora de enfrentarse, hambriento, a mis alacenas traseras, un síndrome misterioso que mi joven y bello amigo ha desarrollado después de las experiencias, tan terribles, que ha tenido con otros hacedores de cultura, si cultura se puede llamar al comistrajo decadente y plagiario que ellos se guisan y ellos se comen.

Ha sido una travesía larga y peligrosa, pero todo lo di por bien sufrido al ver el esplendor de la mirada de mi muchacho, su gozosa incredulidad, su impaciencia por probarlo cuanto antes, cuando yo le descubrí por fin mi nueva maravilla, la reluciente acequia que un certero bisturí abriera entre mis muslos, semanas atrás, en un país distante, entre miradas acosadoras y palabras enigmáticas, entre los vaivenes de la anestesia, en las caprichosas manos del destino. Gracias al cielo todo salió bien, y aquel surco que yo imaginaba hipersensible, delicado y feraz, como una orquídea rara al amoroso cuidado de una gheisa, tenía al menos un aspecto tentador, apetitoso, afortunado. Breve sería mi alegría, oh sombras que protegéis los hervores de mi pensamiento, y dura como el pedernal la verdad que me esperaba.

Yo le pedí a quien ahora duerme desconocedor de mi congoja que no fuera violento ni lo quisiera todo de un solo bocado, que la fruta estaba todavía muy tierna y que la ansiedad de su boca y la recobrada impaciencia de su ardiente cuchillo, enhiesto como el asta del unicornio, podían desbaratarla. Inútil precaución, oh tinieblas que habéis inundado mi alma, dada la aspereza y la aridez de mi falso prodigio, fabricado, pienso yo, con material de deshecho, creado por lo visto con un género tan grosero y tan barato como el sintasol, pues de lo contrario sería imposible tanta sequedad, tanta dureza, tan nulo agradecimiento. Mi muchacho se lanzó a él como un náufrago a la balsa que aparece como por ensalmo en medio del temporal y parecía que quisiera devorarlo, parecía dispuesto a dejarse la lengua hecha pedazos en aquel pliegue que diríase de aluminio o de uralita aunque a él, con la ofuscación, se le antoja esponjoso y dorado como un bizcocho. Durante los primeros segundos, yo estuve gritando de placer y mis gritos eran ciertos, porque dentro de mí el ansia de felicidad había madurado como una granada que ya derramaba el morado zumo de su fruto, pero pronto comprendí que todo no era más que un espejismo, una falacia arrancada de mi propio deseo, la dolorosa inercia de mi voluntad de ser ella para él, de rescatarle del pozo de su desgana, de redimirle de tantas pesadillas tras sufrir los desvaríos genitales de un poeta exquisito, de una cafre poetisa, de una ninfómana dedicada a la crítica de arte, de un pintor esclavizado por sus orgasmos prostáticos, de un director de cine obsesionado con amamantar sus meninges en los joviales falos de los muchachos de la vida. Comprendí que aquel cirujano beduino había hecho algún negocio a mi costa, colocándome una vagina de conglomerado en lugar de la caoba que me prometió, y no tuve valor para confesarle la verdad al querubín que juraba estar volviéndose loco, mientras me hurgaba con la lengua en aquel callejón sin salida, con el frenético y desperdiciado empeño de conducirme a los verdes campos del Edén.

Cuando le conocí, vagabundo y hambriento,

me dijo que no quería saber nada de literatos, que ya tenía bastante. Le ofrecí mi casa y una cama turca en el cuarto del teléfono y él me dijo que aceptaba con la condición de que yo no quisiera luego abusar de él. Me hizo una pregunta extraña, que si tenía muchos ceniceros en casa, que él no se fiaba nada de los ceniceros, que luego te la pegan en cuanto tienes un descuido; supuse que deliraba por el hambre y por el cansancio, pero le tranquilicé asegurándole que, puesto que ninguno de los dos fumábamos, nada más llegar esconderíamos o guardaríamos con llave todos los ceniceros que hubiese a mano. Desde entonces, vive conmigo, vive pegado a mí como mi propia desdicha, vive dentro de mí como toda mi ternura, y me ha confiado los tropiezos de su vida.

Dice que un poeta refinadísimo le propuso un juego complicado: presentarse en una lectura de poemas diciendo que su nombre era Serafín Bruñido, un novel que figuraba con tres poemas herméticos en una antología titulada Poesía Posterior, una antología preparada por el otro, por el refinado. El serafín repentinamente cazado al vuelo le preguntó a su cazador qué había sido del otro, del verdadero autor de los tres poemas herméticos, y el cazador le dijo socarronamente es un heterónimo, mi joven amigo, anda de aquí para allá como un alma en pena, con una vocación loca de *dibbuk*, buscando un cuerpo bello y gentil en el que encarnarse. Y añadió: tú has tenido la suerte de servirle de morada. Por lo visto, me dijo el serafín cazado al vuelo, aquello debía de ser muy importante, porque el refinado se lo estuvo beneficiando —de una manera rara, la verdad; el refinado decía que aquello era hacer el amor oblícuamente— todo lo que pudo y a cambio no le invitaba ni a merendar.

De las manos exquisitas y ensortijadas del cazador pasó a los guantes equívocos de una cazadora, una muchacha que también escribía versos, aunque muy descarados, y que no se quitaba los guantes masculinos ni en la ducha. Juntos se ducharon muchas veces, pero la poetisa no le dejaba nunca comportarse como un hombre. Entre el vapor del agua hirviendo, entre grandes toallas de color marfil, ellos dos, desnudos, jugaban a ser adolescentes lesbianas, se besaban los labios con extremada delicadeza, sin abrirlos, como si temiesen herírselos, se besaban lentamente el cuello, la nuca, los hombros, las axilas, y el muchacho me dijo que él no podía atacar a modo por mucho que lo intentara, como si aquella nube de vapor que saturaba la atmósfera del cuarto de baño tuviese algún narcótico, como si la poetisa pusiera yerbas misteriosas en el calentador del agua, como si ambos estuviesen anestesiados, con los músculos dormidos, una morbosa placidez que impedía al chico justificar su hombría, por más que lo deseara, por grande que fuera su empeño en rebelarse, porque la poetisa tenía un precioso cuerpo de chiquilla, unos senos como albaricoques, unos muslos largos y flexibles, un sexo suave y de pluma sedosa como un gorrión nuevo y sólo quería que se lo besara, le hacía a él con la toalla un turbante mientras lo tenía arrodillado a sus pies, le susurraba al oído mi bollerita, le acariciaba las nalgas con rara delicadeza a pesar de los guantes masculinos, le susurraba mi amor, mi niñita viciosa, mi ninfa sáfica, y a él aquello la verdad es que le gustaba, le gustaba mucho el cuerpo desnudo y mojado de la joven poetisa, aunque no consiguiera excitarse como se excitan los hombres, y ella le decía muy bajito no te engañes mi amor, tú eres como yo, somos idénticas, y se besaban durante horas como si estuvieran besándose en un espejo.

Los literatos son gente rara, dice el que ahora duerme a mi lado con su hermoso sexo satisfecho y al resguardo entre sus piernas, con su sexo como una serpiente en el dulce tiempo de la hibernación. El refinado le hacía tumbarse desnudo en un diván y, mientras recitaba versos de Cátulo, vestido con una chilaba negra y de pie, como en trance, iba armando hasta que al cabo de un rato, presa de pronto de una gran excitación, le pedía tócame, y él tocaba la cumbre de la negra tienda de campaña, la tocaba apenas con la yema del dedo corazón, y enseguida notaba cómo se iba aquello empapando de crema muy erudita. Sexo oblícuo le llamaba el de las Poesías Posteriores. Sexo parabólico y tacaño. En cambio, la chica de los guantes hacía que el muchacho se sintiera su propia hermana menor y se confundiera hasta tal punto que no sabía por dónde podían entrarle aquellos ramalazos de gusto, aquellos calambrazos de placer que le salían disparados del estómago, hasta las orejas y los talones. Acababa eyaculando con el sexo fláccido pero con una intensidad que a él le parecía hasta peligrosa, algo que no podía ser bueno, como no podía ser bueno el frenesí de la chica de los guantes, sus estertores finales, su desesperación al abrazarse a él mientras le llamaba mi dueña, mi ama, mi tormento, y después, ya en el dormitorio, tras haber dormido un poco, su manía de vestirle con sus trajes siempre un poco masculinos y en los que él se sentía prisionero. No olvides, le advertía la chica de los guantes a la hora de salir, que tu nombre es Rosaura Careta.

Como para volverse loco, me contó este muchacho que duerme y que ahora cree haber encontrado en mí a una mujer normal si bien tardía, este muchacho que alguna vez, agradecido, quiso hacerme feliz por donde yo solía, por donde el alma toma forma de desagüe y se contrae como un molusco ávido, como una planta carnívora, como un párpado dañado, y lloraba su fracaso como un seminarista expulsado por su falta de salud, igual que un corredor de fondo forzado a abandonar en la última vuelta. Me abrazaba por la espalda con desesperación y me pedía que le perdonase, lloraba como un crío por haberse echado a perder, maldecía a quienes le enseñaron un amor torcido, y juraba que me amaba como nunca había amado a nadie.

¿Cómo no sacrificarlo todo, hasta la vida si preciso fuera, por un amor así? Cansado de aventuras de una noche, ahíto de recorrer las atestadas catacumbas como un chacal hambriento, escarmentado del brillo repentino de los cuchillos que no pocas veces me buscaron empuñados por los celos, la codicia o la locura, me fui a Casablanca. Aquí quedaba él, en los vulnerables por cálidos muelles del amor, y aquí vine a buscarlo con la angustia y la alegría de la barca que a puerto arriba, después de haber temido zozobrar. Y aquí le hallé, y a mi vera, confiado, permanece.

Ahora duerme. Hace frío y la noche tiene ya el color de las horas límites. No voy a levantarme, oh sombras vigilantes, y dejaré que el semen de este dulce muchacho se reseque donde nada puede florecer, excepto la propia estima y la dicha de vivir, por tantos lobos tan dañadas, de quien comparte mi lecho. Que duerma en paz, lejos de los reclamos anales de este buen samaritano, lejos de su vieja impotencia y de su amenazadora disfasia, a salvo de los poemas posteriores, de los guantes como máscaras, de los orgasmos prostáticos de un neoexpresionista de la escuela de Huelva, de la garganta insaciable de una experta en Juan Gris, de los flemones y las caries de un director de cine que también exigía que su colaboradora en los guiones, una muchacha pálida y obesa, sorbiera del mismo caño de la fuente la crema de la inspiración. Hace frío, oh íntimas tinieblas, y mi cuerpo está helado, mientras este ángel a quien yo custodio arde en la acogedora hoguera de su sueño.

Quizás se halle próximo el día en que mi corazón vuelva a estar desabrigado. Entonces, regresaré a Casablanca, buscaré al cirujano que me defraudó, le arrancaré sus partes pudendas con mis dientes y le obligaré a injertármelas donde hizo el destrozo. Y si alguien, oh sombras vengativas, si alguno de esos nuevos inquisidores me amenaza de cárcel o tortura por volver a disfrutar a posteriori, haré cuanto esté en mi mano para que el cirujano de Casablanca le sustituya los colgantes del disfrute por un panecillo de plástico, y que le cosa con bramante de acero la posterioridad, porque eso es lo mínimo que merece quien no comprende el dolor y la esperanza y la congoja de los condenados a amar de espaldas.

Colofón

Donde la Boccaccio explica cómo se le quedó el ánimo después de tanto uso, y cómo vibra ahora por el deber cumplido

Escocido. Escocidísimo se me quedó el recipiente de atrás, una vez que se despacharon a gusto las siete descarriadas. Eso sí, al final todas se quejaban como cacatúas porque no les había quedado bien, porque no habían tenido tiempo para ensayar ni para nada, y todas estaban dispuestas a repetir su intervención. Menos mal que mi dueña dijo que ni hablar, que ella era la primera en no estar contenta del todo con su perorata, pero que así resultaba mucho más espontáneo todo, más sincero y más provocador. Y es que mi dueña se muere por provocar, ella es una provocatriz nata y yo creo que ha equivocado la vocación, en lugar de dedicarse a las varietés tenía que haber echado una instancia para el Parlamento.

Mi dueña, la Madelón, me echó en la maquinaria de popa unos aceites carísimos, porque yo al final chirriaba que daba penita oírme, pero habían sido demasiadas pilas por retaguardia y tenía servidora la vagina llena de ampollas.

—Chochiblanda —dijo, despreciativa, la Mercurio—. Vergüenza me daría a mí tener tan poco aguante.

A la Mercurio lo que le pasa, naturalmente, es que pega bocados por no haberse comido una rosca. Por lo visto, ha sido como si todos se hubieran puesto de acuerdo. Puede que el Sindo llame mañana, que es domingo, pero también puede que se haya licenciado y que el pelirrojo de Totana no tenga todavía la confianza suficiente. El pelotari estará de fijo en Tijuana, y el futbolista canario del Vallecano habrá encontrado por fin, en sus islas, una jubilada sueca que le quite la depresión a lengüetazos. Por supuesto, a la Madelón la sequía no le durará mucho tiempo, menuda es ella, pero la Mercurio ha cogido el síndrome de la menopausia y seguro que se pasa las noches en blanco, desveladísima, repitiéndose obsesivamente soy una mujer acabada y haciendo fuerza con la clavija en el enchufe del teléfono, como si con ello pudiera, a su edad, reblandecerse la mucosa.

—Cuánta razón tenía el que se inventó el refrán de que Dios le da pan a quien no tiene dientes —me dice la Mercurio, con el ánimo despellejado por el resquemor.

Yo el ánimo, en cambio, lo tengo a tope, resplandeciente, mejor que nunca. El ánimo no me chirría lo más mínimo. De verdad. Ahora mismo me siento mariquita militante; la más mariquita y la más militante de este mundo. Boccaccio la guerrillera, así me siento. Y a lo mejor es cierto lo que dice la Mercurio, que no soy poderosa de dientes, pero, con el ánimo que ahora tengo, me comprometía yo a derretir mamando la Torre Eiffel.

He vuelto a escuchar, con mi dueña, todas las casetes. Si al jefe de policía del estado de Georgia, donde hay esas leyes tan mariquiticidas, no se le ablanda el corazón será porque antes le ha dado una embolia. Como dice la redicha de la Cocó, esto es un verdadero manifiesto, aunque por supuesto ella lo hubiera puesto todo mucho más conciso. Esa mujer acabará follando por télex.

He vuelto a escuchar todas las casetes y la verdad es que estoy excitadísima. Mi dueña me ha recetado, por su cuenta, una temporada de descanso, pero yo ahora necesito, como el respirar, que me sigan metiendo pilas. Definitivamente, soy un magnetófono con furor uterino, y ésa será mi cruz y mi bienaventuranza para el resto de mi existencia.

Esa será mi cruz y mi bienaventuranza mientras me aguante el cuerpo. Según la cochambrosa cotilla de la Mercurio, a mí el cuerpo ya me va a aguantar poquísimo, y a lo mejor es verdad, porque basta con oír cómo me chirrían las catacumbas, que yo no me engaño sobre mi salud, ni para bien ni para mal, yo no soy ni suicida ni hipodérmica, como diría Pamela Caniches. A lo mejor es cierto que en cualquier momento pego el explotido y mi coñito dice de pronto se acabó, que no metan pilas que es inútil, a menos que entre las pilas también haya de ésas que sólo disfrutan si se meten en un muerto; si las hay, que me las metan, claro que sí, que si algo he aprendido de estas siete descarriadas es lo bonito que es dar gusto.

Dar gusto al que le apetece, y dárselo por donde uno pueda, es como dar de comer al hambriento y de beber al sediento, como vestir al desnudo y enseñar al que no sabe, como curar al enfermo y consolar al triste. Lo mismo, pero mucho más divertido, la verdad.

Yo creo que esto lo tiene que comprender el señor jefe de policía del estado de Georgia. Y si no lo entiende, que reviente.

Mi dueña ha ordenado las casetes por orden alfabético. Ella para estas cosas es siempre la mar de escrupulosa, es una manía que le viene de su profesión. Que ninguna vaya con letras más grandes que las demás. Que ninguna vaya en recuadro, que ninguna destaque. Todas lo mismo, y siguiendo el orden del abecedario. Ha hecho un paquete monísimo y luego en Correos, por lo visto, le han armado un cirio horrible, que eso de mandar un paquete al extranjero tiene mucho trámite y mucho control. Naturalmente, mi dueña demostró que el paquetito no tenía más que unas casetes de lo más sencillitas y educadas. Casetes de typical music, puso la tía en la etiqueta. Y los pánfilos de la aduana ni sospecharon la dinamita que las casetes llevaban dentro.

Las casetes van en orden alfabético, por una cuestión de principios y como corresponde a la remitente, una verdadera profesional del espectáculo, pero, eso sí, el jefe de la policía del estado de Georgia que las escuche en el orden que le dé la gana. Va a darle igual, del soponcio no lo libra nadie. Qué ilusión. Seguro que reclama, para la traducción, los servicios de un morenito portorriqueño, y seguro que acaban los dos revolcándose por el parqué de la comisaría, enganchados en un sesenta y nueve.

Y vosotras, nenas, haced lo mismo. Escuchad las casetes en el orden que queráis; como diría Paloma Caniches, es inverosímil. Naturalmente, la Mercurio, que está que trina, dice querrás decir que es indiferente, guapa, pero Paloma Caniches le diría da igual, son palabras sinagogas. Y, realmente, lo mismo da. El orden de los productos no altera el factor. Aquí están. Son siete. Podéis usarme a mí; usadme, por favor. Metedme de esas pilas que tardan horas en descargar. Ya lo he dicho: dar gusto es una obra de misericordia. Tened misericordia de mí. Aunque vibre como un consolador en un internado de señoritas. Podéis estar seguras de que vibro de satisfacción. Y aunque chirría un poco, qué más da. No me daré por escocida.

Son siete. Siete contra Georgia. Siete mariquitas, siete casetes, siete historias, siete gritos como siete puñales.

Últimos títulos

103. La cinta de Escher
Abel Pohulanik
XIX Premio La Sonrisa Vertical

104. Hot Line
Historia de una obsesión
Francesca Mazzucato

105. Bella de Candor y otros relatos chinos
Anónimo

106. Kurt
Pedro de Silva
XX Premio La Sonrisa Vertical

107. El regalo de Luzbel
Ramón Burcet

108. La revocación del Edicto de Nantes
Pierre Klossowski

109. El mal mundo
Luis Antonio de Villena
XXI Premio La Sonrisa Vertical

110. Autobiografía de una pulga
Anónimo

111. Cuentos eróticos de Navidad
AA. VV.

112. Púrpura profundo
Mayra Montero
XXII Premio La Sonrisa Vertical

113. La casa de los budas dichosos
João Ubaldo Ribeiro

114. Relaciones escandalosamente puras
Francesca Mazzucato

115. Los perros seguido de
Las aventuras singulares
Hervé Guibert

116. Espera, ponte así
Andreu Martín
XXIII Premio La Sonrisa Vertical

117. Fanny Hill
John Cleland

118. La atadura
Vanessa Duriès

119. Cuentos eróticos de verano
AA. VV.

120. ¿Qué es Teresa?
Es… los castaños en flor
José Pierre

121. Llámalo deseo
José Luis Rodríguez del Corral
XXIV Premio La Sonrisa Vertical